PRESENTATION DE LA DYNASTIE DES ASHTON

Installés dans un décor de rêve, les Ashton possèdent deux des plus grands vignobles de Californie, le Domaine de Louret et le Vignoble Ashton, et se livrent une concurrence acharnée, depuis que l'argent et le goût du pouvoir ont divisé les membres de la famille…

Mais laissez-moi vous présenter les Ashton d'un peu plus près, et, en particulier, Spencer Ashton, l'homme par qui tout a commencé. En 1963, cet homme ambitieux et sans scrupules a quitté Crawley, Nebraska, pour aller faire fortune en Californie, n'hésitant pas à abandonner sa femme, Sally, et leurs jumeaux encore nourrissons.

Arrivé à Napa Valley, il a épousé Caroline Lattimer, l'héritière d'un immense vignoble et d'une banque d'affaires extrêmement prospère. Ayant réussi à s'attirer les bonnes grâces de son beau-père, Spencer parvient à devenir l'héritier de tous ses biens et, à la mort de ce dernier, il se retrouve à la tête d'une fortune colossale. Il quitte alors Caroline, et leurs quatre enfants, et se remarie à Lilah Jensen, dont il aura trois enfants. Abandonnés par leur père, et spoliés de tous leurs biens, les enfants de Spencer ont donc presque tous une revanche à prendre sur la vie.

Devenus adultes, le destin va leur permettre de rétablir la vérité sur leurs origines. Et surtout faire naître des liens beaucoup plus forts que ceux du sang : les liens de l'amour.

MAUREEN CHILD

Née en Californie, Maureen Child a une passion pour les voyages. Jamais elle ne laisse passer une nouvelle occasion de partir à l'aventure (avec son mari, tout de même… !) et à la découverte d'un pays. Mais son grand amour, c'est la littérature, l'écriture.

On ne s'étonnera donc pas qu'elle soit l'heureux auteur de plus de soixante romans, qui ont tous un point commun : sensuels et pleins d'émotion, ils se terminent bien. « Le *happy end*, affirme Maureen, voilà ce qui fait de ma profession le plus beau métier du monde ! »

On la croit volontiers !

*Cet ouvrage a été publié en langue anglaise
sous le titre :*
SOCIETY-PAGE SEDUCTION

Traduction française de
SYLVETTE GUIRAUD

HARLEQUIN®

est une marque déposée du Groupe Harlequin
et Passion® est une marque déposée d'Harlequin S.A.

Originally published by SILHOUETTE BOOKS,
division of Harlequin Enterprises Ltd.
Toronto, Canada

MAUREEN CHILD

Un mariage
chez les Ashton

Collection *Passion*

éditions Harlequin

La Dynastie des Ashton

Frederick Ashton et Patricia Winston

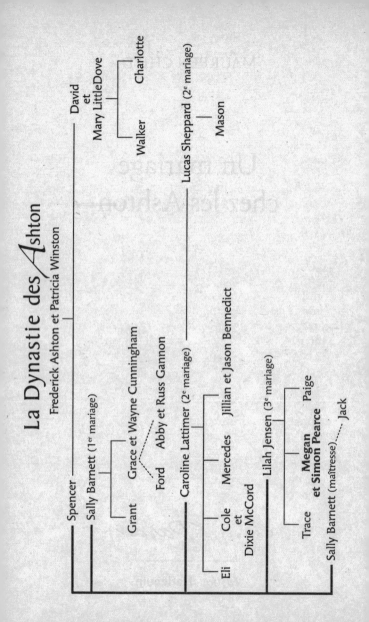

Spencer

Sally Barnett (1er mariage)

Grant

Grace et Wayne Cunningham

Ford — Abby et Russ Gannon

Caroline Lattimer (2e mariage)

Eli

Cole et Dixie McCord

Mercedes

Jillian et Jason Bennedict

Lilah Jensen (3e mariage)

Trace

Megan et Simon Pearce

Paige

Sally Barnett (maîtresse) — Jack

David et Mary LittleDove

Walker

Charlotte

Lucas Sheppard (2e mariage)

Mason

PRÉSENTATION DES PERSONNAGES

Les Ashton ne forment pas vraiment une famille comme les autres : leur seul point commun, c'est Spencer Ashton. Un homme sans états d'âme, qui a bâti sa fortune sur le mensonge et qui a spolié les siens.

Mais si les enfants de Spencer, nés de trois mariages différents, ne se connaissent pas, le destin, lui, va les mettre sur le même chemin…

Ce mois-ci, faites connaissance avec :

MEGAN ASHTON : à 25 ans, Megan, la fille de Spencer et de sa troisième femme, Lilah, a bien du mal à s'affirmer en présence de son père. Celui-ci ne lui a jamais vraiment accordé d'attention, sauf pour lui imposer ses quatre volontés. Comme, par exemple, la forcer à épouser un homme qu'elle n'aime pas. Enfin décidée à montrer à Spencer qu'elle sait ce qu'elle veut, et surtout ce qu'elle ne veut pas, Megan va trouver en Simon Pearce un allié inattendu.

SIMON PEARCE : richissime homme d'affaires, toujours sur la brèche, Simon Pearce conduit sa vie comme son travail : avec professionnalisme. Et le mariage n'est pour lui rien d'autre qu'un contrat comme un autre. Aussi, quand sa fiancée l'abandonne le matin même de la cérémonie, il n'hésite pas une seule seconde à lui trouver une remplaçante sur-le-champ. Sans se douter qu'en épousant Megan Ashton, il s'embarque dans une aventure qu'il ne pourra pas maîtriser.

Prologue

1968

Spencer Ashton se renversa contre le dossier de son fauteuil de bureau de cuir brun et s'autorisa un sourire. Quel chemin parcouru, songea-t-il, et en si peu de temps, depuis le Nebraska ! Pourtant, d'un point de vue tout à fait personnel, il n'était pas encore arrivé assez loin.

Il pivota dans son fauteuil et son sourire se figea un peu en contemplant, à travers la fenêtre, les palmiers agités par la brise. Des palmiers… symboles de la Californie, certes, mais aussi un rappel du tour nouveau qu'avait pris sa vie depuis qu'il avait quitté Crawley.

Il capta son reflet dans la vitre et l'étudia. Il connaissait ses atouts aussi bien que son compte en banque. Il était jeune, raisonnablement séduisant et très, très ambitieux. Le tout l'avait jusqu'à présent bien servi. Trois ans à peine qu'il était entré à la banque d'investissements Lattimer et il occupait déjà son propre bureau dans l'espace réservé aux cadres supérieurs. Il s'enfonça un peu plus profondément dans son fauteuil. Un poste bien mérité, du reste. Il avait su flatter John Lattimer, prononcer les mots qu'il fallait, il avait accompli les démarches qui s'imposaient et, surtout, il avait *appris*.

Il en savait assez désormais pour être sûr qu'il ne pourrait plus jamais se contenter de travailler pour quelqu'un d'autre. Il voulait tout. En premier lieu, mettre de la distance entre l'homme qu'il avait été et celui qu'il était devenu. Si un bref éclair de culpabilité le traversait parfois à la pensée de la jeune femme et de la famille qu'il avait abandonnées, il le chassait très vite. Il n'en avait pas le temps. Il était sur la voie de la réussite et regarder en arrière ne pouvait être qu'une perte d'énergie.

Il hocha lentement la tête. A partir de cet instant, décidat-il, le passé n'existait plus. Sally et les jumeaux n'existaient plus. Il prenait un nouveau départ. Son unique but serait de grimper sur l'échelle sociale. Les affaires de la banque d'investissements Lattimer constituaient un bon marche-pied, sans aucun doute, mais un jour, se dit-il, l'établissement se nommerait Banque d'Investissements Ashton. Il se représentait parfaitement la manière dont les choses se passeraient : il serait craint et admiré par ses subalternes, tandis que ses collaborateurs se disputeraient ses faveurs. Ses rivaux en affaires prieraient pour qu'il ne leur coupe pas l'herbe sous le pied. Sa maison serait deux fois plus grande que celle des Lattimer et, bien entendu, il éviterait de garder un employé aussi ambitieux que lui.

— Le pouvoir, murmura-t-il avec un autre sourire tandis que la brise de cette fin d'après-midi agitait les frondaisons entrelacées des arbres juste au-dessous de ses fenêtres. Tout se résume au pouvoir... et à ce qu'un homme doit faire pour l'obtenir.

— Spencer ?

En entendant la voix de son patron, Spencer se releva d'un bond. Pourquoi diable Lattimer ne frappait-il jamais à la porte ? songea-t-il, agacé. Pourtant, il réprima son énervement. Il ne pouvait se permettre d'envoyer promener le bonhomme.

Du moins, pas encore...

— John ! s'exclama-t-il avec un sourire épanoui. Quel plaisir de vous voir !

Son regard se posa ensuite sur la jeune personne pendue au bras de Lattimer.

— Je désirais vous présenter ma fille Caroline, dit Lattimer en attirant la petite jeune femme blonde à l'intérieur du bureau. Ma fille unique ; la prunelle de mes yeux.

Sa *fille* ? s'étonna Spencer en son for intérieur. Comment était-il possible qu'il n'ait jamais su que le vieux bandit avait une enfant ? Aussitôt, son esprit agile se mit en mouvement. Il détailla Caroline Lattimer. Plutôt jolie, à sa manière, songea-t-il. Pas vraiment conforme aux canons de la beauté classique, mais avenante. L'air calme, elle avait les yeux verts, une silhouette agréable et le vernis et la confiance en soi d'une femme élevée dans un environnement aisé. A l'évidence, son père en était fou, songea Spencer en réfléchissant à toute vitesse. Sans doute y avait-il là une opportunité à saisir...

Spencer adressa à la jeune fille un sourire appuyé. Elle baissa la tête puis releva les yeux vers lui avec une expression d'intérêt.

— Mademoiselle Lattimer, dit-il en lui prenant la main, je suis ravi de faire votre connaissance.

— Papa m'a beaucoup parlé de vous, répondit-elle d'une voix calme et mesurée.

Mais Spencer avait noté avec satisfaction qu'elle avait retenu un instant sa respiration quand il lui avait pris la main. Elle était timide, conclut-il pour lui-même. Tant mieux. Bien qu'assez jolie et fille d'un homme fortuné, sa timidité l'avait sans doute empêchée d'acquérir une certaine expérience des hommes. Ce qui ne pouvait être qu'un avantage pour lui…

Il lui retint la main un peu trop longtemps, tout en la caressant doucement du bout du pouce. Elle leva vers lui des yeux souriants, et Spencer se prit aussitôt à élaborer un plan de séduction. Combien de temps lui faudrait-il pour qu'elle tombe amoureuse de lui ? Très peu sans doute, s'il jouait bien ses cartes. Et après ? Eh bien, épouser la fille du boss n'était pas une si mauvaise idée… Après tout, il y avait plus d'un moyen de conquérir le pouvoir.

Une fois qu'il l'aurait obtenu, se jura-t-il, il ne le lâcherait plus.

1.

2005

— Que veux-tu dire exactement par « la mariée n'est pas là » ? demanda Megan Ashton en réprimant une soudaine envie de sauter à la gorge de sa sœur Paige.

— Je veux dire qu'on ne parvient pas à la trouver, répondit Paige dans un chuchotement précipité.

Ses yeux noisette lancèrent des regards affolés de tous côtés, puis elle se pencha vers Megan et lui murmura à l'oreille :

— On a cherché partout. En vain…

Megan dut faire un effort immense pour accueillir la nouvelle sans rien laisser transparaître du tumulte qui l'agitait intérieurement. Mais elle ne pouvait se permettre de montrer son inquiétude. Elle accrocha un sourire insouciant sur ses lèvres et hocha négligemment la tête vers la poignée d'invités disséminés dans le petit salon. Puis, saisissant Paige par le coude, elle l'entraîna à travers la pièce vers les portes-fenêtres qui donnaient sur une vaste véranda. Une fois hors de portée d'écoute, elle se débarrassa de son casque de contrôle et se tourna vers sa sœur :

— As-tu vérifié dans le jardin ?

Paige avala une grande bouffée d'air puis lança d'une seule traite :

— Nous avons cherché partout. J'ai même jeté un œil dans chacune des salles de bains du rez-de-chaussée. Elle n'est nulle part, je t'assure !

Elle s'interrompit un instant pour reprendre son souffle, puis, fixant sa sœur d'un air étrange, elle ajouta :

— Et si tu veux mon avis, elle ne reviendra pas.

— Que veux-tu dire ? s'exclama Megan.

Paige soupira.

— Elle a laissé sa robe de mariée.

— Non !

Megan combattit les premières vagues de panique comme elle l'aurait fait pour n'importe quelle autre désastreuse éventualité. En sa qualité d'organisatrice des galas et des autres événements mondains du Vignoble Ashton, elle n'avait jamais connu d'échec et il n'était pas question que ceci soit le premier. Elle s'obligea à prendre une grande respiration. Il suffisait de réfléchir, bien sûr, et vite.

Elle observa sa sœur cadette. Depuis toujours, Paige était considérée comme le « génie » de la famille Ashton. Elle avait fait de hautes études de commerce à l'université de Californie du Sud, avant de revenir à la maison pour participer à la gestion du domaine. Megan ignorait ce qu'elle aurait fait sans elle. Mais aujourd'hui, Paige était inquiète, et cela ne fit que renforcer le sentiment de panique de Megan.

Paige se mordilla la lèvre et croisa les mains sur la ceinture de sa simple jupe noire. Elle jeta un regard soucieux vers la salle où les invités attendaient le début de la cérémonie.

— Qu'allons-nous faire, maintenant ? murmura-t-elle.

— Surtout, ne pas paniquer, répondit Megan d'une voix qu'elle espérait convaincante.

— D'accord. Et comment fait-on ?

— Si je le savais ! s'écria Megan.

Des voix murmurèrent derrière elle et un crachotement s'échappa du casque qu'elle tenait toujours étroitement.

C'était un cauchemar, songea-t-elle. Des idées, des plans se présentèrent à son esprit qu'elle chassa tout de suite. Rien d'assez bien pour se tirer de ce mauvais pas. Bon sang ! enragea-t-elle. Quelle sorte de femme pouvait bien fuir son propre mariage quinze minutes avant la cérémonie ? Et qu'allait-elle bien pouvoir dire au marié ?

Comme si elle lisait dans ses pensées, Paige secoua la tête.

— Je ne veux pas être celle qui annoncera au marié que sa future épouse s'est évaporée.

Megan frémit. Simon Pearce, le fiancé multimillionnaire, n'était pas homme à prendre les choses à la légère. Il avait arrangé la cérémonie avec tout le soin et la diligence d'une invasion. Alors, apprendre que ses plans avaient avorté à la dernière minute… Comme pour s'aider à y voir plus clair, Megan commença à se masser les tempes, mais tout ce qu'elle obtint fut la transformation d'un début de mal de tête en une violente migraine.

Peut-être aurait-elle dû se douter que quelque chose clochait dans ce mariage, se dit-elle soudain. A bien y repenser, cela faisait plus d'un mois qu'elle réglait tous les détails avec Simon Pearce, et jusqu'à ce matin, elle n'avait encore jamais aperçu sa fiancée. C'était tout de même étrange… Mais prise par l'organisation, Megan n'y avait pas prêté attention.

Elle songea à la manière dont Pearce s'était comporté, et comprit tout à coup les raisons qui avaient pu pousser la jeune promise à prendre la poudre d'escampette. Car Simon Pearce était un homme tout à la fois superbe, irritant et brusque. Il lançait des ordres et s'attendait à voir les gens les exécuter au doigt et à l'œil. Il s'était occupé de tout. Il avait pris toutes les décisions concernant ce mariage… qui n'allait pas avoir lieu. Même si elle ne pouvait s'empêcher de se réjouir à l'idée que quelqu'un ait enfin eu l'audace de s'opposer à cet homme bien trop imbu de lui-même, elle ne se voyait pas pour autant lui annoncer qu'il venait de se faire plaquer !

— Oh, juste ciel ! murmura-t-elle, le visage offert au vent qui soufflait à travers le vignoble.

Le parfum de l'océan tout proche et la fraîcheur de la brise de mars parvinrent à rafraîchir un peu la tempête qui couvait sous son crâne. En revanche, elle eut le sentiment que rien n'aurait pu défaire le nœud dans son estomac.

Paige la tira de ses pensées. Elle se planta devant elle, se mit au garde-à-vous et s'écria :

— J'attends vos ordres, chef !

Megan réprima un sourire. Personne ne disait jamais à Paige ce qu'elle devait faire, et ce n'était pas aujourd'hui que cela allait commencer. Sans doute un trait propre aux Ashton, songea-t-elle, car elle-même n'acceptait pas mieux les ordres que sa sœur. Et leur père encore moins…

Megan ne put s'empêcher de repenser à la conversation qu'elle avait eue avec lui la veille. Spencer Ashton n'était vraiment pas le genre d'homme à obéir aux ordres. Ni à accepter qu'on refuse les siens…, songea-t-elle avec une pointe d'inquiétude. Mais ce n'était pas le moment de se faire du souci à propos de ce que son père lui dirait quand elle lui annoncerait qu'elle refusait la proposition qu'il lui avait faite. Non, pour l'instant, elle devait se tirer du mauvais pas dans lequel cette fichue mariée l'avait fourrée.

— Il y a forcément une solution ! dit-elle à Paige tout en faisant claquer ses talons sur les dalles polies. Et je vais la trouver ! De toute façon, il est impossible d'annuler : les plats chauds sont prêts, le gâteau est splendide, les musiciens sont en place depuis une demi-heure…

16

Elle leva les mains au ciel avant de les laisser retomber le long de son corps.

— Il y a des journalistes à l'extérieur, le pasteur tape déjà du pied et le marié doit être sur des charbons ardents. Dieu du ciel, gémit-elle, pourquoi cette stupide fiancée m'a-t-elle fait ça ?

— Hum, remarqua Paige, je suppose qu'elle ne pensait pas exactement à toi.

Sa sœur avait raison, songea Megan. S'énerver ne servirait à rien. Elle s'obligea à respirer lentement avant de revenir à son problème.

— Bon, finit-elle par dire d'une voix déterminée. Il faut agir.

— C'est-à-dire ?

— Va te mêler aux invités et bavarde avec eux. Et, je t'en supplie, n'arrête pas de sourire !

— Et ensuite ? demanda Paige en se détachant de la balustrade de pierre où elle était appuyée.

— Ensuite, poursuivit Megan en remettant son casque en place, tu attends.

Elle prit une longue inspiration. Elle n'avait pas le choix.

— De mon côté, annonça-t-elle, je vais aller parler au fiancé.

— Eh bien, ma pauvre, je n'aimerais pas être à ta place, dit Paige.

Megan fit la grimace.

— Je te remercie de ton soutien ! J'imagine que c'est dans ces moments-là que je mérite pleinement mon salaire faramineux...

*
**

Simon Pearce consulta sa montre en or pour la énième fois en dix minutes. Selon le déroulement normal du programme, il aurait déjà dû pénétrer dans la salle depuis cinq minutes et en être au moment du « oui » sacramentel. Il tapota du doigt le verre de la montre et s'efforça de calmer les élans de colère qui l'envahissaient. Ce retard allait en entraîner d'autres et c'était *inacceptable* !

— Veux-tu que j'aille voir ce qui se passe ? demanda son ami et assistant, Dave Healy.

Simon secoua la tête.

— Non. Accordons-nous une minute de plus et, ensuite, j'irai *moi*, poser des questions.

David haussa les épaules et s'adossa au mur du fond.

— C'est ton enterrement, après tout.

— Mon mariage, tu veux dire ! le reprit Simon.

Dave sourit.

— Tout dépend de ta manière de l'envisager.

— Exactement, répliqua Simon en arpentant l'espace confiné de la petite antichambre.

Le fait est qu'il ne partageait pas exactement les mêmes conceptions que Dave en matière d'amour. Depuis que ce dernier s'était marié avec une femme qu'il adorait, il répétait à qui voulait l'entendre qu'un mariage sans amour n'aurait aucun sens. Et forcément, quand Simon lui avait annoncé son projet d'épouser Stéphanie, Dave s'était montré plus que circonspect.

Mais il en aurait fallu bien plus pour arrêter Simon : pour lui, l'amour et le mariage était deux choses bien distinctes. D'ailleurs, l'amour brouillait tout. Mieux valait ne pas trop s'encombrer de sentiments. Après tout, le mariage n'était jamais qu'une association bien comprise entre deux individus. Alors autant le gérer comme une fusion d'entreprises.

18

Simon se dirigea vers les fenêtres qui surplombaient la piscine et jeta un coup d'œil inexpressif sur les jardins. En ce début de printemps, la plupart des arbres étaient encore nus et les rosiers commençaient à peine à bourgeonner. Mais le rose foncé et les teintes orangées des fleurs hivernales qui bordaient l'allée formaient un mélange assez beau, et il concentra son regard dessus sans cesser de réfléchir. Il pensait à Stéphanie Moreland, à laquelle il aurait déjà dû être marié à l'heure qu'il était.

Ils se connaissaient depuis plusieurs mois et, lorsque Simon avait fait sa demande six semaines auparavant, elle avait accepté avec une sorte de calme très digne. Tout à fait comme il avait souhaité la voir réagir. En fait, elle correspondait à tout ce qu'il recherchait chez une épouse. Élégante, intelligente, et assez riche pour qu'il ne redoute pas qu'elle ne l'épouse que pour son argent. Même s'il ne ressentait aucun élan d'excitation lorsqu'ils étaient ensemble, Simon était assez satisfait. Il avait besoin d'une épouse — surtout pour ses affaires. Certaines entreprises estimaient encore qu'on ne pouvait faire confiance à un célibataire. Avec Stéphanie à ses côtés, il pourrait donc continuer à agrandir Pearce Industries comme il l'entendait.

— Raison pour laquelle, murmura-t-il, en consultant de nouveau sa montre, ce mariage doit être conclu.

Quand les larges portes de chêne s'ouvrirent dans son dos, Simon se retourna et vit apparaître l'organisatrice du mariage. Simon la fusilla du regard. Blonde, élancée, Megan avait d'immenses yeux verts dont le calme apparent tranchait singulièrement avec ce qu'il connaissait de son caractère. Au cours du mois écoulé à travailler avec elle pour préparer la cérémonie, Simon avait pu constater que la patience n'était pas la principale qualité de la jeune femme. A plusieurs reprises, il l'avait vue se mordre les lèvres pour se retenir de contester l'une de ses décisions. Elle donnait pourtant l'impression d'être efficace, et c'était sans doute pour cette raison que les Ashton la gardaient à leur service.

Mais lorsqu'elle pénétra dans la pièce, elle avait tout l'air de quelqu'un qui aurait donné une fortune pour se trouver à l'autre bout de la terre. L'une des forces de Simon dans le monde des affaires consistait à savoir déchiffrer l'expression de ses adversaires. Aussi, un seul coup d'œil sur le regard troublé et la bouche pincée de la jeune femme lui apprit qu'il n'allait pas apprécier ce qu'elle avait à lui dire.

— Monsieur Pearce...

— Quel est le problème ? demanda-t-il, impatient d'aller droit au but.

Megan referma la porte derrière elle et lança un bref coup d'œil à l'assistant de Simon :

— Vous pouvez parler librement devant M. Healy, précisa Simon.

Megan avala sa salive et redressa les épaules.

— Très bien. Je suis désolée, monsieur Pierce, mais votre fiancée semble avoir disparu.

— Pardon ?

Le ton était coupant. Toutefois, la jeune femme ne parut guère affectée par la colère qui perçait dans la voix de son client. Elle se contenta de le fixer.

— Melle Moreland a quitté la propriété.

— Impossible.

— Apparemment pas.

Un élan de fureur s'empara de Simon, mais il se contint. La colère ne résoudrait rien.

— L'avez-vous appelée sur son portable ?

— Oui, répondit Megan avec un nouveau regard gêné en direction de Dave. Elle ne répond pas, et sa boîte vocale indique qu'elle sera à l'étranger durant les prochains mois.

A l'étranger ? Tout à coup, Simon se remémora sa dernière conversation avec sa fiancée. Ne lui avait-elle pas vaguement dit qu'elle voulait s'installer à Londres pendant quelque temps ? Bien entendu, il n'en avait pas tenu compte, car il avait bien trop d'affaires en cours pour partir aussi loin. Mais aujourd'hui, il devait bien se rendre à l'évidence : Stéphanie avait décidé de s'envoler sans lui…

Repoussant les pans de sa veste bleu marine, il glissa les mains au fond de ses poches de pantalon et s'efforça de réfléchir sans se laisser emporter par la colère. Il avait choisi sa fiancée avec soin, parce qu'il estimait qu'ils étaient sur la même longueur d'onde. Il avait voulu un mariage dépourvu de toutes les émotions fauteuses de troubles. La fusion tranquille de deux familles pour l'amélioration de chacune d'elles… et voilà qu'il venait de se faire plaquer !

Un sentiment de rage l'envahit. Non qu'il se sente malheureux de la disparition de sa fiancée, mais trahi. Il n'était pas assez sot pour prétendre qu'ils faisaient un mariage d'amour, mais il n'aurait pas imaginé qu'elle aurait l'audace de lui infliger une telle humiliation.

Et au-delà de son propre orgueil, songea-t-il encore plus indigné, c'était toute son organisation si bien réglée qui risquait de pâtir de ce tour détestable : avec une inquiétude grandissante, il se représenta les répercussions que la fuite de Stéphanie ne manquerait pas d'avoir si un seul mot de cette histoire se répandait à l'extérieur. Le scandale risquait de retarder de plusieurs semaines, voire de plusieurs mois, sa fusion avec Derry Foundation. Derry était de la vieille école : jamais il n'accepterait de se lancer dans des affaires avec un célibataire.

Simon fulminait. Mais comment faire pour trouver une femme en si peu de temps ? Allons, se reprit-il, il devait bien y avoir une solution. Il *fallait* qu'il y ait une solution !

Il n'allait quand même pas se laisser abattre parce qu'une jeune écervelée venait de lui faire faux bond. Ça ne pouvait pas lui arriver, à lui, Simon Pearce ! Il ne perdait jamais et ce n'était pas maintenant qu'il allait commencer.

— Je suis vraiment navrée, monsieur Pearce, reprit Megan, et le regard de Simon revint se poser sur elle. Si vous désirez que je m'occupe de vos invités, je peux faire l'annonce moi-même.

Simon l'observa plus attentivement. Elle était vraiment jolie, plus que jolie, même. Magnifique. Ce n'était d'ailleurs pas la première fois qu'il le remarquait : en un mois, il avait eu tout le temps de la contempler. Des cheveux blonds tirés en arrière, qui mettaient en valeur son visage en forme de cœur. De grands yeux verts, graves pour l'instant, mais il les avait souvent vus briller quand elle riait, ou lancer des éclairs sous le coup de l'indignation. Elle était intelligente, bien élevée et d'une sereine sophistication. Il avait aussi remarqué son ardeur au travail, et sa persévérance : à l'évidence, cette femme savait obtenir ce qu'elle voulait. Un trait qu'il admirait. Exactement le genre de femme qu'il aurait pu...

Il repoussa cette idée aussitôt : jamais elle n'accepterait. Pourtant, se prit-il à espérer, cela pourrait résoudre tous ses problèmes. Et puis, avait-il une autre solution ? D'autant que la jeune femme avait exactement la même taille que Stéphanie...

A vrai dire, la situation était quasiment désespérée, et il n'avait pas vraiment le temps de tergiverser plus avant. C'était maintenant ou jamais. D'une voix assurée, il se lança :

— En réalité, Megan, j'ai un autre genre de service à vous demander.

Megan leva vers lui un regard intrigué, avant de tourner les yeux vers Dave. Simon devina son embarras et pria Dave de les laisser seuls.

22

— A quel genre de service pensez-vous ? demanda Megan, une fois la porte refermée derrière Dave.

— Le seul que vous puissiez me rendre, répondit Simon.

Il plongea son regard dans les yeux verts pour mieux observer sa réponse.

— Je voudrais que vous acceptiez de m'épouser.

2.

Agée de vingt-cinq ans, Megan organisait des réceptions dans le domaine familial depuis trois ans, et elle pensait avoir déjà tout vu. Pourtant, c'était la première fois qu'un fiancé plaqué la demandait en mariage.

Elle secoua la tête et regarda Simon, abasourdie.

— Vous êtes fou ? s'exclama-t-elle.

— Habituellement non.

— Voilà qui est encore plus inquiétant !

Simon lui sourit et Megan sentit soudain un curieux trouble s'insinuer au plus profond d'elle-même. Rejetant cette sensation tout à fait hors de propos, elle ferma les yeux et s'efforça de retrouver son calme. Elle n'allait tout de même pas se mettre à rougir comme une lycéenne parce que Simon Pearce venait de lui décocher un sourire dévastateur ! Certes, il venait aussi de lui demander de l'épouser, mais ce n'était pas une raison pour se comporter comme une jouvencelle...

Elle rouvrit les yeux, et fut soudain frappée par le magnétisme qu'il dégageait. Dépassant le mètre quatre-vingts, Simon avait d'épais cheveux noirs ondulés dont la coupe élégante donnait l'impression de ne rien devoir à un coiffeur. Ses yeux gris brillaient d'un éclat incroyable, et ses traits semblaient avoir été sculptés par un artiste passionné. En proie à d'étranges sentiments, elle déglutit avec peine. Il était

24

vraiment impossible de s'approcher de cet homme à moins de quelques mètres sans tomber sous son charme fascinant.

— Je voudrais que vous m'épousiez, répéta-t-il.

Il consulta sa montre puis ses yeux se posèrent sur Megan.

— Aussi vite que possible.

Un rire bref secoua la jeune femme. Quoi ! Le *mariage* ?

— Vous plaisantez, je pense.

Fixé sur elle, le regard gris s'assombrit et elle se sentit traversée par un frisson.

— Je ne plaisante jamais.

— Dommage, murmura Megan qui avait d'abord cru à une sorte de blague. Vous y excelleriez.

Cela ne pouvait être vrai, songea-t-elle, et elle souhaita soudain plus que tout que Dave revienne dans la pièce.

— Ecoutez, monsieur Pearce...

— Appelez-moi Simon, l'interrompit-il.

— Je ne crois pas, monsieur Pearce...

— Megan, coupa-t-il brusquement, j'ai besoin d'une épouse. J'ai besoin de me marier cet après-midi même.

— Mais pourquoi ?

Il lui lança un regard impatient et elle se sentit encore plus mal à l'aise.

— Comment ça, pourquoi ? reprit-il d'une voix pressante.

— Pourquoi être si pressé de convoler ?

— Ce n'est pas vraiment important.

— Ça l'est, puisque vous me demandez d'être la mariée !

Simon Pearce soupira, jeta encore un coup d'œil à sa montre et boutonna sa jaquette.

— Très bien. Disons qu'un homme marié paraît plus *stable* pour certaines personnes avec lesquelles je suis en affaires.

— Vous travaillez avec des hommes des cavernes ? ne put-elle s'empêcher de s'exclamer.

Simon esquissa un sourire, et Megan se surprit à espérer qu'il allait sourire encore une fois. Au cours de ce dernier mois, elle l'avait vu impatient, pressé et assommant mais, jusqu'à ces dernières minutes, elle ne l'avait jamais vu sourire. Peut-être gardait-il son arme la plus puissante pour les situations désespérées ?

— Ils sont... *conservateurs,* expliqua-t-il.

— C'est désolant... et étrange, mais je suppose que vous le savez et...

Il voulut l'interrompre de nouveau mais elle ne lui en laissa pas le temps.

— Mais enfin ! Allez-vous bientôt cesser de me couper la parole ? s'exclama-t-elle en faisant un effort pour réprimer sa colère. On ne vous a jamais appris que c'était très grossier ?

— Pardonnez-moi, dit-il avec un hochement de tête. Mais je suis très pressé et j'aimerais que vous écoutiez ma proposition avant de refuser sans savoir.

Elle le regarda avec attention. Après tout, se dit-elle, quel mal y aurait-il à l'écouter ? Ça ne l'engageait à rien. Et puis, elle devait bien admettre qu'il semblait prendre la nouvelle qu'elle lui avait apportée beaucoup mieux qu'elle ne l'avait pensé. Autant ne pas le fâcher.

— Très bien, dit-elle enfin, je vous écoute.

— Comme je vous le disais, poursuivit-il, j'ai besoin d'une épouse et vous paraissez convenir.

— Parce que je suis une femme ?

26

— Disons que c'est un facteur non négligeable, répondit-il avec un sourire.

Megan vit un éclair passer dans les yeux de Simon et ressentit une étrange sensation monter en elle.

— C'est ridicule ! lança-t-elle.

Derrière les portes de chêne leur parvinrent soudain les accents soyeux du quartet à cordes engagé pour divertir les invités. Dehors, le soleil rayonnait sur la propriété familiale des Ashton et s'infiltrait par les larges baies, dessinant des ombres sur les dalles. Simon les contempla un moment avant de reprendre la parole pour mettre les choses au point.

— Pas vraiment, expliqua-t-il. Les mariages arrangés existent depuis des siècles.

— Et on a vu à quel prix ! Dois-je vous rappeler le nombre de femmes qui ont fini enfermées à double tour dans des tours ou des donjons juste parce que ces messieurs avaient décidé de les épouser sans leur demander leur avis ?

Simon Pearce soupira, l'air tout à fait mécontent.

— Il n'y a aucun donjon chez moi, argua-t-il, je le jure.

— Hum.

— Si vous me rendez ce service, je vous donnerai tout ce que vous voudrez.

— C'est un peu plus qu'un simple service, remarqua-t-elle. Un service en général, c'est plutôt promener un chien ou nourrir un poisson…

— De l'argent ? Combien voudriez-vous ?

— Je pourrais demander à mon souteneur, lança-t-elle d'une voix sèche, médusée par l'insulte.

Simon Pearce parut se rendre compte de son erreur et tendit les deux mains dans un geste d'excuse.

— Désolé, désolé. Comment vous persuader, alors ?

— Monsieur Pearce…

— Vous ne comprenez pas, Megan, il faut *absolument* que je me marie ! Dehors, il y a des reporters, des caméras de télévision. Je ne pourrai pas les éviter et les ragots qui courront sur le marié plaqué feront beaucoup de mal à mes affaires.

Il se passa une main sur le visage, l'air tout à coup très anxieux.

— Le scandale risque d'envoyer ma mère à l'hôpital.

A cette pensée, Megan frémit. Ainsi il n'était pas seulement préoccupé par ses affaires ? Il lui parut soudain plus humain. Pourtant, songea-t-elle avec irritation, elle ne pouvait quand même pas épouser un inconnu juste pour éviter à sa mère d'être hospitalisée ! Même si, lui souffla une petite voix intérieure, son père désirait la voir se marier avec un véritable inconnu pour une quantité de raisons bien plus mercenaires encore.

En un instant, elle revit la scène qui s'était déroulée dans le bureau de son père, la veille au soir.

— Tu as vingt-cinq ans maintenant, Megan, lui avait dit son père en l'examinant comme il l'aurait fait d'un cheval qu'il aurait envisagé d'acheter.

Megan s'était presque attendue à ce qu'il lui examine les dents, mais elle avait gardé ses pensées pour elle, car Spencer Ashton ne s'intéressait pas du tout à l'opinion des autres.

— Il est temps que tu te maries.

Megan s'était cassé la tête pour lui faire une réponse, sans rien trouver. Mariée, elle ? Elle qui n'était pratiquement pas sortie en l'espace d'un an — en tout cas, pas depuis que son dernier petit ami avait accepté le confortable pot-de-vin que Spencer lui avait offert pour s'éclipser...

— Aussi, avait poursuivi Spencer, puisque ton goût en matière d'hommes est exécrable, j'ai pris la liberté de te choisir un époux acceptable.

— Pardon ?

— Un époux, Megan. Tu connais ce mot, je pense ?

— Oui, père, mais...

— William Jackson, avait alors lancé Spencer en se renversant dans son immense fauteuil de cuir.

Les coudes posés sur les accoudoirs, il avait étudié son expression par-dessus ses doigts croisés.

— Le fils du sénateur Jackson, avait-il précisé.

— Willie ?

Horrifiée, Megan avait fait un pas vers le bureau, étonnée que ses genoux puissent encore la porter.

— Tu veux que j'épouse Willie Jackson ?

— Le sénateur est d'accord, avait dit son père d'une voix calme. De cette manière, une fois nos enfants mariés, il accélérera le versement d'une certaine somme qui contribuera à la consolidation de mes entreprises sur la côte Ouest.

C'était donc cela ! avait-elle compris avec un sentiment de colère. Il ne s'agissait pas d'elle. Il ne s'agissait en réalité que de donner un coup de pouce aux affaires de Spencer. Toute conversation avec Spencer n'aboutirait-elle donc jamais à autre chose qu'à Ashton Industries ? Sans plus réfléchir, Megan avait lancé :

— Alors tu déniches une femme à Willie et le sénateur t'offre la Californie ?

Spencer avait légèrement froncé les sourcils, et Megan avait ressenti une sensation très familière au creux de l'estomac. Une fois de plus, et malgré tous ses efforts, elle avait déplu à son père.

Oui, mais Willie Jackson, quand même...

— Tu pourrais trouver pire. William est un excellent jeune homme et il est issu d'une très bonne famille.

Malgré l'appel au calme que lui avait soufflé son cerveau, Megan n'avait pu retenir sa langue.

— Tu veux plutôt dire que c'est un idiot ! Adorable mais idiot.

— Eh bien, cela suffira, avait martelé Spencer en se redressant dans son fauteuil. William Jackson est l'homme qu'il te faut.

— Père, avait plaidé Megan, il parle de science-fiction avec son chien !

Spencer avait un léger frémissement

— Eh bien, tu l'aideras à mûrir.

— Non, pas question ! s'était-elle écriée.

Ciel ! Avait-elle vraiment prononcé ces mots ? s'était-elle demandé.

Un spasme avait contracté son estomac, et elle s'était revue petite fille, lorsqu'elle attendait une punition annoncée. En dépit de la terreur qui l'étreignait, elle avait serré les poings et relevé le menton face à son père. Elle devait se montrer adulte et pour cela s'élever contre l'homme qui avait été le héros et le démon de sa vie. Si elle ne voulait pas risquer de se retrouver mariée à Willie, elle devait parler en son propre nom.

— Je crois que je ne t'ai pas bien entendue, avait dit Spencer.

— Oh, si, père. Je n'épouserai pas Willie.

Les traits de Spencer s'étaient assombris, ses yeux avaient commencé à lancer des éclairs, et sa bouche s'était pincée en une grimace de désapprobation. Pourtant, Megan avait tenu bon, malgré la faiblesse de ses genoux.

— Nous en discuterons quand tu seras devenue plus raisonnable, avait fini par répondre son père d'une voix très sèche.

— Je le suis tout à fait.

— Non, non, tu ne l'es pas, avait-il répliqué. Pour l'instant, tu es renvoyée.

Puis, sans un autre regard, il avait ouvert un tiroir de son bureau, en avait tiré une chemise en carton, avait pris un stylo et s'était mis au travail, comme si Megan était déjà partie. Comme si tout avait été réglé. Comme si elle avait déjà accepté le mariage. Exactement comme il en avait décidé.

Le souvenir de cette conversation la faisait encore frémir. D'autant qu'aujourd'hui, Megan était bien sûre que son père ne changerait pas d'avis. Inflexible comme il l'était, il attendrait qu'elle finisse par se laisser convaincre. Megan connaissait son père. Jamais Spencer Ashton n'abandonnerait. Sauf…si elle était déjà mariée.

— Considérez cela comme une proposition d'affaire et rien de plus, dit Simon au même moment.

— D'affaire ?

Il s'aperçut que sa détermination commençait à fléchir et elle vit une lueur d'espoir passer dans les yeux gris.

— Je vous donnerai tout ce que vous voudrez, répéta-t-il.

La folie était-elle contagieuse ? se demanda Megan. Etait-elle sérieusement en train d'envisager d'épouser Simon Pearce ? Certes, cela lui permettrait de prendre sa vie en main et, en outre, elle pourrait regarder son père bien en face et lui expliquer qu'il lui était désormais impossible d'épouser Willie. Quel mal pouvait-il y avoir ? Simon était superbe, riche. Peut-être un peu… dérangé, mais la stabilité mentale n'était pas une grande affaire, n'est-ce pas ? Après tout, il y avait folie et folie.

— Avez-vous un chien ? demanda-t-elle soudain d'un ton brusque.

— Pardon ? dit-il, l'air intrigué. Non, pas de chien.

— Très bien, soupira-t-elle, soulagée. C'est parfait.

— Si vous le dites, murmura-t-il en lui jetant un coup d'œil qui exprimait de sérieux doutes sur sa santé mentale.

— J'ai certaines conditions à poser, annonça Megan.

Il hocha la tête.

— Je vous écoute.

Megan hésita un instant avant d'ouvrir la bouche. Allait-elle vraiment le faire ? Elle sentit sa gorge se nouer, et un sentiment d'appréhension monter en elle. Mais il fallait qu'elle se lance, c'était maintenant ou jamais.

Elle se mit à parler, très vite pour ne pas avoir l'occasion de revenir sur une décision aussi absurde.

— Primo, nous devrons rester mariés une année pleine et entière, dit-elle.

— Une année ?

— Oui.

De cette manière, réfléchit Megan, elle disposerait de suffisamment de temps pour chercher une épouse à Willie. Aussi impossible que cela paraisse pour l'instant, elle croyait dur comme fer qu'il y a toujours quelqu'un quelque part pour chacun.

Simon parut méditer un long moment puis il hocha la tête.

— D'accord.

Soulagée, elle s'apprêta à énoncer la deuxième condition. La moins facile…

— Secundo, ajouta Megan, personne ne doit savoir que je suis une remplaçante de la dernière heure.

Elle se mit à arpenter la pièce.

— Je me fiche pas mal de la manière dont vous l'expliquerez — parlez d'attirance irrésistible ou de coup de foudre — je m'en moque, expliqua-t-elle.

Elle s'arrêta et se retourna pour le fixer, le regard rivé à celui de Simon.

— Mais je ne veux pas que vos amis ou votre famille pensent que je suis l'épouse de rechange.

— Le coup de foudre, alors ? dit-il, avec ce petit sourire qui faisait craquer Megan.

— Ça peut arriver, non ?

— Si vous le dites.

Il replia les bras sur sa poitrine, inclina la tête de côté et demanda :

— C'est tout ? Pas d'autres conditions ?

— Si. Encore une.

Autant faire bien les choses si elle devait s'engager. Il n'était pas question d'entendre chuchoter les gens ou bien qu'ils la plaignent si son mari draguait d'autres femmes dans son dos.

— J'attends de vous que vous restiez fidèle pendant toute cette période. Aucune tromperie, quelle qu'elle soit.

Il la fixa d'un air presque dur.

— Je ne tricherai pas, dit-il d'une voix sèche, et j'attends la même chose de vous.

Megan hocha la tête, curieusement soulagée.

— D'accord, répondit-elle.

— Parfait. Autre chose ?

— Non, je crois que ça suffira.

Simon était stupéfait. Il s'était attendu à ce qu'elle lui demande de l'argent, et même beaucoup. En toute sincérité, il aurait été heureux de payer. Mais Megan l'avait épaté, ce qui ne lui arrivait pas souvent. Intrigué, il considéra la femme qu'il était sur le point d'épouser et se demanda combien d'autres surprises elle lui réservait.

— Alors, marché conclu, déclara-t-elle en se rapprochant de lui, la main droite tendue.

Simon baissa les yeux sur la petite paume blanche puis releva les yeux vers les siens.

— Pas tout à fait. J'ai aussi une condition.

— Qui est ?

— Si nous devons rester mariés pendant un an, et que ni l'un ni l'autre ne… doit sortir avec quelqu'un d'autre, notre mariage devra donc être réel.

Megan avala sa salive.

— Ce qui signifie ?

— Je pense que vous avez tout à fait compris ce que je veux dire, déclara-t-il en lui prenant la main entre les deux siennes.

La peau de Megan lui parut douce et lisse, mais glacée par la nervosité.

— Quand je fais un marché, poursuivit-il, je ne triche jamais.

— Moi non plus, répliqua-t-elle avec vivacité.

— Bien. Seulement, je ne vais pas vivre toute une année sans sexe.

— Huum…

Elle tenta de lui ôter sa main, mais il la serra davantage. Megan avait vécu cette dernière année sans aucune vie sexuelle et cela ne lui avait pas vraiment manqué. Elle n'en n'était pas morte non plus. En revanche, un homme tel que Simon Pearce n'était sans doute pas habitué à se passer de compagnie féminine plus de quelques jours au maximum. Si elle voulait être franche avec elle-même, Megan devait aussi admettre que le célibat n'était pas tout à fait une partie de plaisir comme on le disait parfois. Elle releva la tête et regarda Simon droit dans les yeux.

— Ça me paraît raisonnable. Alors, disons… une fois par mois ?

Il se mit à rire.

— Deux fois par jour, plutôt.

Elle haussa les sourcils.

— Seriez-vous un… lapin ?

Simon sourit et se dit qu'une année en compagnie de cette femme serait de loin bien plus intéressante qu'un mariage avec Stéphanie. Jamais une seule fois depuis qu'il la connaissait, Stéphanie ne l'avait étonné ou amusé. Avec Megan, il en allait tout autrement. Même s'il imaginait bien qu'elle ne marcherait pas pour faire l'amour deux fois par jour. Mais autant faire monter les enchères…

— Pourquoi ? Deux fois par jour, cela vous pose un problème ?

— Vous pouvez le dire. Que diriez-vous d'une fois toutes les trois semaines ?

Il secoua la tête et, du pouce, lui caressa le dos de la main.

— Une fois par jour.

Elle poussa un soupir et son souffle souleva une mèche blonde qui lui retomba le long de la joue. Elle pencha la tête sur le côté et lui lança un petit regard en coin, avant de proposer :

— Une fois toutes les deux semaines.

— D'accord… si cela inclut tous les autres jours !

Elle le toisa, sourcils froncés.

— Vous savez, je réfléchirais sans doute mieux, si vous me lâchiez la main.

— J'aime bien votre main.

— Vous êtes un homme intéressant, monsieur Pearce.

— Merci, mais c'est *Simon*.

— Parfait. Simon. Une fois par semaine.

Il y avait bien des années qu'il n'avait pas négocié avec un tel plaisir. Il pouvait voir fonctionner les rouages du cerveau de Megan et il en conclut que ce mariage précipité allait peut-être s'avérer bien plus divertissant qu'il ne s'y serait attendu.

— Trois fois par semaine, transigea-t-il.

— Deux.

— Marché conclu.

Megan secoua la tête et libéra sa main de son étreinte. Simon en ressentit un curieux sentiment de vide, mais il préféra ne pas y penser, ni chercher à comprendre pourquoi ses doigts brûlaient tout d'un coup de la toucher encore.

— Encore une chose, dit Megan, attirant de nouveau son attention.

— Oui, quoi ?

Elle leva la main pour repousser la mèche rebelle derrière son oreille droite et, pour la première fois, Simon vit étinceler les petits diamants de ses boucles d'oreilles.

— La… euh… nuit de noces.

Sa voix, basse d'abord, prit de la vigueur tandis qu'elle poursuivait.

— Vous ne vous attendez pas à ce que notre marché prenne effet dès ce soir, je pense ?

Simon réprima un soupir. Sa part la plus virile attendait exactement le contraire. Il voulait sentir la peau de Megan sous ses mains. Il désirait la débarrasser de sa jupe noire et de sa blouse de soie blanche très élégantes, mais trop sages. Le désir le saisit et faillit l'emporter. Quand il en prit conscience, il sut qu'il devait la rassurer. Il n'était pas homme à se laisser guider par ses hormones.

— Pourquoi ne pas nous accorder un peu de temps pour mieux nous connaître ? proposa-t-il.

Megan sourit et une certaine malice brilla dans ses yeux.

— Disons, six mois ?

— S'agit-il d'une autre négociation ? répliqua-t-il. Parce que là, vous mettez la barre très haut.

— J'apprends vite.

Amusé malgré lui, il hocha la tête.

— Que diriez-vous d'une semaine ?

Megan hésita.

— Une *seule* semaine, répéta-t-il.

Elle réfléchit à la question pendant un instant qui lui parut durer des heures. Puis elle hocha la tête.

— Une semaine, accepta-t-elle enfin avec un éclat nouveau dans les yeux.

Simon la vit s'humecter les lèvres et déglutir avec peine, et il inspira longuement pour s'efforcer de retrouver le contrôle de lui-même. Pourquoi n'avait-il pas fait plus attention à elle ce dernier mois ? Comment n'avait-il pas remarqué ses yeux ? Sa bouche ? Pour repousser le tour trop dangereux que prenaient ses pensées, Simon consulta encore une fois sa montre.

— Vous devriez aller enfiler votre robe maintenant, dit-il. J'irai prévenir le prêtre que nous serons prêts dans cinq minutes.

Megan secoua la tête d'un air triste.

— Vous êtes vraiment un obsédé de l'heure, n'est-ce pas ?

— Ce n'est que l'une de mes qualités.

— Ou de vos défauts.

Il sourit. Il pouvait se le permettre désormais. Il avait transformé un quasi-désastre en triomphe.

— Megan, vous aurez la possibilité de passer toute l'année qui vient à apprendre chacune de mes bizarreries. Mais pour l'instant…

— Très bien, l'interrompit-elle. J'ai compris, je vais m'habiller. Je vais me marier !

Megan se dirigea vers la porte. Ses hauts talons claquèrent bruyamment sur les dalles. Avant de sortir, elle jeta un regard à Simon par-dessus son épaule.

— Vous êtes bien certain de ce dans quoi vous nous jetez ?

Puis elle disparut, sans attendre la réponse. Simon contempla la porte d'un air pensif. Evidemment qu'il savait ce qu'il faisait ! Ne le savait-il pas *toujours* ?

3.

Les rayons du soleil s'infiltraient à travers les portes-fenêtres alignées dans le grand hall. Les doubles rideaux de soie cramoisie étaient largement ouverts et les vitres étincelaient comme des diamants dans la lumière. Seuls une poignée d'invités étaient assis sur les chaises rembourrées toutes blanches rangées des deux côtés d'une étroite allée. Tout au bout, se tenait le prêtre, une Bible ouverte dans les mains. A côté de lui, Simon attendait, élancé et superbe, le regard fixé sur Megan.

Comme elle descendait la travée d'un pas lent, suivie de sa sœur Paige, Megan eut tout le temps de se poser des questions sur son équilibre mental. Elle portait la robe de mariée d'une autre femme et même si elle la trouvait magnifique, ce n'était pas le choix qu'elle aurait fait. Une dentelle ivoire recouvrait ses bras et sa poitrine et dessous, la soie glissait sur sa peau avec une sensation de fraîcheur. Le bas de la robe évasé effleurait le bord des chaises sur son passage. Son bruissement ressemblait à un soupir inquiet. Dire qu'elle était sur le point d'épouser le fiancé d'une autre, devant des témoins qu'elle ne connaissait même pas ! Sans compter, songea-t-elle soudain, que d'ici une semaine, elle devrait aussi partager son lit avec un homme qui serait à la fois un étranger et son mari...

39

La tête lui tournait, et elle préféra chasser ces pensées troublantes. Elle repensa aux arguments que Paige n'avait pas manqué de lui opposer quand elle lui avait appris ce qu'elle était sur le point de faire. Sa sœur avait employé la voix de la raison, mais cela n'avait pas eu le pouvoir de la dissuader. Megan pouvait à la rigueur accepter une seule vérité sur elle-même : quand elle avait pris une décision, elle ne revenait jamais dessus. En outre, à choisir entre Simon Pearce et Willie le tordu, elle choisirait toujours Simon sans hésiter.

A bout d'arguments, Paige avait fini par accepter la décision de Megan, et celle-ci lui en avait été reconnaissante. Paige avait compris que rien ne la ferait changer d'avis, et qu'une seule chose comptait à présent : soutenir Megan dans cette drôle d'aventure. D'ailleurs, songea Megan, Paige serait le seul membre de sa famille présent à son mariage… Toutefois, Megan savait que sa sœur n'était pas prête à accueillir Simon à bras ouverts. La manière dont Paige le regardait ne laissait d'ailleurs aucune ambiguïté quant à la nature des sentiments qu'elle lui portait.

La famille et les amis de la précédente fiancée étaient partis. Simon s'était entretenu avec le prêtre et, désormais, tout le monde ici — à l'exception de la mariée — était détendu et se tenait prêt. En tirant quelques ficelles, Simon s'était même arrangé pour se procurer en catastrophe une licence de mariage. A sa manière, Simon Pearce était en tout point aussi puissant que Spencer Ashton. A cette pensée, Megan ne put retenir un frisson. Puis elle se plaça à côté de Simon, inspira profondément et sentit ses doigts se refermer sur sa main droite. Ils étaient tièdes, songea-t-elle. Tièdes et en quelque sorte… réconfortants.

Le pasteur commença à parler. Megan n'écoutait pas. Elle avait l'impression d'être hors de son propre corps. Comment expliquer autrement cette légèreté dans sa tête, ce bourdonnement dans ses oreilles ? Sa vision brouillée ?

— Oui, dit Simon, et sa voix profonde se répercuta dans la pièce.

Megan sentit un frisson courir le long de son dos. Mon Dieu, c'était son tour !

Elle concentra toute son attention sur le prêtre et, notant la sueur qui perlait sur le front de ce dernier, elle se demanda s'il était aussi nerveux qu'elle. Mais il paraissait assez sympathique. A peine une heure avant, elle s'était entretenue avec lui pour régler les derniers détails, et à ce moment-là, bien entendu, aucun d'entre eux n'imaginait qu'elle serait la mariée.

— Moi, Megan Ashton, commença-t-elle, répétant les mots, tandis que le révérend suivait avec attention les vœux qu'elle prononçait.

A côté d'elle, Simon se figea soudain. Ashton ? Elle s'appelait Ashton ? songea-t-il, stupéfait. Comme la *Villa Ashton* ? Comme le Vignoble Ashton et des douzaines d'autres entreprises ? Pourquoi ne lui en avait-elle rien dit ? Puis il se rappela que dans tout le mois qu'il avait passé à travailler avec elle, il ne lui avait jamais demandé son nom. Pour lui, elle était simplement Megan, l'organisatrice de réceptions. Il jeta un coup d'œil en coin à la femme qui était en train de lui jurer fidélité, et comprit tout à coup pourquoi il n'avait pas été capable de lui faire accepter ce mariage en lui offrant de l'argent. Puis, une pensée en entraînant une autre, il s'aperçut que cette union allait provoquer de ce fait quelques complications…

Depuis longtemps, Simon était la cible favorite des paparazzi qui faisaient leurs choux gras de la vie des « people ». A n'en pas douter, songea-t-il avec inquiétude, le mariage de Simon Pearce avec l'une des héritières Ashton allait faire saliver ces photographes comme des charognards. Comme la sienne, la famille Ashton était bien connue et, si les médias avaient vent du fait que l'union en question n'était rien d'autre qu'un marché, ils allaient se déchaîner.

— Vous pouvez embrasser la mariée.

A ces mots, les pensées de Simon se dissipèrent et il se retourna pour faire face à Megan. Autour d'eux, on les observait, mais tout ce que Simon était capable de voir lui-même, c'était ses yeux à elle. Des yeux étincelants et verts comme l'herbe des champs, au fond desquels brillaient l'humour, la circonspection et un soupçon de regret.

— Un regret ? souffla-t-il en levant une main pour lui repousser de nouveau derrière l'oreille une boucle blonde égarée.

Elle frémit légèrement, puis lui chuchota :

— Oh, oui. Et pas un seul. Deux, trois et même quatre et…

Il ne la laissa pas finir. Il pencha la tête et posa ses lèvres sur les siennes. Alors, quelque chose de tout à fait inattendu explosa en lui, et le désarçonna totalement. Il releva la tête et fixa Megan comme s'il ne l'avait encore jamais vue. Elle paraissait aussi surprise que lui. Il y avait eu une sorte d'incandescence dans le baiser qu'ils venaient d'échanger. Quelque chose que Simon n'avait pas ressenti depuis… quelque chose qu'il n'avait jamais ressenti, en fait. Cette idée le frappa de plein fouet. Et s'il s'était fourvoyé en lui proposant de l'épouser ? L'étrange sensation qu'il avait ressentie en l'embrassant lui donnait toutes les raisons de douter d'avoir fait le bon choix. Ce mariage devait être un mariage de convenance, au sens le plus strict du terme. Alors s'imaginer qu'il puisse s'agir d'autre chose ne pouvait déboucher que sur des problèmes supplémentaires.

Et pourtant… Incapable de se retenir, Simon se pencha pour embrasser Megan encore une fois. Megan s'abandonna sous son baiser et, de nouveau, il se sentit chavirer de tout son être. Aussitôt, le désir monta en lui avec une intensité inouïe, et sentir Megan répondre avec fougue à son étreinte décupla son envie de la posséder tout entière.

Alors, il oublia où ils se trouvaient. Il oublia qu'ils étaient étrangers l'un à l'autre et se perdit dans la saveur de sa bouche. Il pressa le corps de Megan contre le sien et la maintint avec fermeté, jusqu'à pouvoir deviner chacune de ses courbes. A travers la dentelle délicate de sa robe, il pouvait sentir la douceur de sa peau, et cette sensation le transportait, tout comme le parfum délicat de Megan lui montait à la tête.

Enivré par un désir grandissant, il glissa sa langue dans la bouche de Megan. Elle était chaude et douce, offerte. Il s'y plongea avec délices, et s'abandonna aux sensations qui le parcouraient. Megan, accrochée à lui, prenait autant qu'elle donnait. Il fit glisser ses mains le long de son dos tout en intensifiant son baiser, et lui arracha un petit gémissement qu'il fut le seul à entendre. Il eut alors l'impression qu'un feu d'artifice explosait au plus profond de lui-même.

Autour d'eux, des applaudissements et des rires finirent par tirer Simon de la brume de passion qui embuait son esprit. Avec lenteur, à regret, il mit fin au baiser et son regard s'abaissa vers elle. La peau claire de Megan s'était empourprée, sa bouche était pleine et enflée et ses yeux étincelaient dans la lumière du soleil. A cet instant, il la désira plus qu'il n'avait jamais désiré quoi que ce soit dans sa vie.

Alors, parce que le besoin de la prendre devenait insoutenable, Simon serra les dents et recula d'un pas, pour prendre de la distance avec sa nouvelle épouse, et surtout retrouver le contrôle de lui-même. Car c'était la première fois qu'il se laissait aller de cette manière. Jamais par le passé il n'avait eu une réaction aussi intense, et il se sentit tout à coup très fragile. Avec un sourire forcé, il prit la main de Megan et se retourna vers les invités qui se pressaient déjà pour les féliciter.

— Tout s'est passé sans accroc, alors cesse de te tracasser, tout au moins à propos de la réception, s'écria Paige.

— C'est que… ça me fait tout drôle de ne pas être en train de passer d'un invité à l'autre pour savoir si tout se passe bien, répliqua Megan.

Elle lissa de la main le devant de sa robe de mariée d'emprunt. Paige la fixa d'un œil rond et secoua la tête.

— C'est vrai que c'est bizarre de ne pas te voir diriger les choses toi-même, mais pas autant que de te voir mariée avec un homme que tu ne connais pas, non ?

— D'accord, admit Megan en laissant son regard glisser sur la petite foule d'invités avant de se poser sur son *mari*. C'est bizarre.

— Je n'arrive toujours pas à croire que tu aies pu le faire ! s'exclama Paige.

— Je sais, moi non plus, figure-toi. Mais à tout prendre, il valait mille fois mieux que ce soit lui que Willie, répliqua Megan sans quitter Simon des yeux.

Etait-elle en train de rêver ou venait-il de lui lancer un regard d'une intensité troublante ? Elle n'eut pas le temps d'approfondir la question car, déjà, sa sœur revenait à la charge.

— Père ne l'aurait jamais toléré, insista Paige.

— Je te ferai remarquer qu'il n'était pas là pour le voir, s'exclama Megan en adressant à sa sœur un regard acéré.

— Bon, très bien, admit Paige. Mais que crois-tu qu'il dira quand il découvrira ce que tu as fait ?

44

Ça, Megan préférait ne pas y songer, mais alors pas du tout. A la seule pensée de ce qui l'attendait dans un proche avenir, elle sentait déjà la nausée monter en elle. Son père allait être furieux. Mais au moins, il ne pourrait plus lui faire épouser quelqu'un d'autre puisqu'elle était déjà mariée. La main posée sur son estomac, Megan respira à fond et expira lentement ; un vieux truc qu'elle pratiquait depuis des années. C'était en général suffisant pour calmer le malaise qui la guettait chaque fois qu'elle pensait à son père.

Perdue dans ses pensées, elle ne vit pas que Paige parlait avec animation dans son casque de contrôle jusqu'à ce que les derniers mots de la conversation attirent son attention.

— Oui, dit Page. J'arrive tout de suite.

— De quoi s'agit-il ? s'enquit Megan. Quelque chose ne va pas ?

— Rien que je ne puisse régler, murmura Page en donnant à sa sœur une petite tape rassurante. Rien qu'un petit ennui en cuisine.

— Si Jean se plaint encore du traiteur, dis-lui que je lui ai demandé de…

— C'est *toi* la mariée aujourd'hui, tu t'en souviens ? lança Paige en s'éloignant vers la cuisine. Ne t'inquiète pas, je vais m'en occuper.

Megan hocha la tête et combattit le besoin désespéré de courir gérer elle-même le problème. Chargée de s'occuper des événements qui se déroulaient dans la propriété, elle s'y était fait un nom. Elle travaillait dur, prenait soin de chaque détail et n'avait jamais connu d'échec.

— Vous croyiez peut-être pouvoir m'échapper ?

La voix profonde de Simon Pearce s'éleva juste derrière elle. Surprise, Megan sursauta et se retourna pour lui faire face.

— Ça vous arrive souvent de vous faufiler en douce derrière les gens ?

— Je ne me faufilais pas. Je me promenais.

— Eh bien, faites un peu plus de bruit la prochaine fois, suggéra Megan en s'efforçant d'apercevoir par-dessus l'épaule de Simon les invités groupés de l'autre côté de la salle.

— C'est l'heure des photos, dit Simon en lui prenant le coude avec fermeté.

— Oh, Simon, je ne crois pas...

— Un vrai mariage, murmura-t-il, la tête inclinée si près d'elle que son souffle lui effleura le creux de l'oreille. Rappelez-vous !

— Très bien.

Le couple fit d'abord quelques pas au soleil pour le bénéfice des médias rassemblés à l'extérieur de la salle de réception. Les caméras tournèrent, les reporters hurlèrent leurs questions et, pendant tout ce temps, Simon arbora un sourire plein de fierté, un bras passé autour de l'épaule de Megan — juste au cas où elle changerait d'avis et déciderait de prendre la poudre d'escampette.

Mais elle n'en fit rien. En toute justice, elle demeura à sa place, souriant aux photographes avec une telle aisance que Simon songea que Stéphanie aurait sûrement moins bien géré la situation. Une fois le tohu-bohu terminé, ils rentrèrent et furent aussitôt entourés par la petite poignée d'invités. Il y eut encore des flashes pendant qu'on les félicitait. Simon, un bras toujours autour des épaules de Megan, la tenait serrée contre lui. Il jouait son rôle de conjoint empressé à la perfection. De son côté, Megan bavardait, souriait et posait pour les photos, comme si elle avait attendu cet instant depuis des jours et des jours.

Après un temps qui lui parut infini, elle parvint enfin à s'isoler dans un coin. Avec reconnaissance, elle accepta le

46

champagne que lui offrait un serveur et en but une longue gorgée, dans l'espoir d'adoucir sa gorge desséchée et de calmer la déroute de ses émotions. Mais elle n'eut pas le temps de réfléchir plus avant aux mille sentiments qui l'agitaient. Elle venait d'apercevoir la mère de Simon qui s'approchait d'elle en faisant de grands signes.

C'était une petite femme élégante aux cheveux d'argent coupés court, vêtue d'un ensemble bleu pâle d'un grand couturier. Elle s'approcha de Megan et l'étreignit avec chaleur, les larmes aux yeux.

— Ma chère, murmura-t-elle, vous êtes ravissante.

— Merci, madame Pearce.

— Je vous en prie, appelez-moi Phoebe. Je suis certaine que nous allons être bonnes amies.

Megan éprouva un sentiment d'horreur à l'idée que Phoebe se montrait si gentille et qu'elle-même lui mentait. A elle, et à tout le monde ici. Avec l'énergie du désespoir, elle s'efforça de trouver quelque chose à dire, non sans se demander pourquoi Simon n'avait même pas donné quelques bribes d'explications à sa mère.

— Phoebe, répondit-elle, je suis désolée de n'avoir pu faire votre connaissance avant. En fait tout s'est passé si vite que...

— Ne vous en faites pas, chérie, l'interrompit Phoebe. Je n'ai jamais vraiment apprécié Stéphanie, vous savez. Elle avait un regard si froid... mais vous...

Elle s'interrompit et prit la joue de Megan au creux de sa main.

— Vous avez des yeux aimables et un joli sourire. Je sais que vous rendrez mon fils très heureux.

Ces derniers mots glacèrent les sangs de Megan. Si la culpabilité avait pu foudroyer quelqu'un sur place, elle aurait vu sa dernière heure arriver, elle en était certaine.

Les deux heures qui suivirent s'écoulèrent comme dans un rêve. On servit le dîner, puis le gâteau, et pas une seule fois il ne fut mentionné que la mariée avait été échangée à la dernière minute. La poignée de personnes qui avait assisté à la cérémonie était venue pour Simon et, songea Megan en observant le comportement des gens, le pouvoir de Simon Pearce semblait encore plus grand que celui de son propre père.

A la fin de la réception, Megan regagna le salon d'habillage pour se changer. Comme elle revêtait ses propres vêtements, l'impression que tout cela avait été comme une sorte de pièce de théâtre la frappa. Maintenant que le rideau était tombé, l'actrice principale allait pouvoir retourner à son travail de tous les jours.

Du moins, jusqu'au moment où Simon entra.

— Hé ! s'exclama-t-elle en levant devant elle, telle une vierge effarouchée, la robe de mariée dont elle venait de se dépouiller. Il ne faut pas vous gêner !

— Rassurez-vous, ça ne me gêne pas…

Un sourire au coin des lèvres, il se glissa dans la petite antichambre et ferma la porte derrière lui. Megan poussa une exclamation et le foudroya du regard. Il ne s'en montra guère ému.

— J'apprécierais un peu d'intimité, déclara Megan, quand il devint évident qu'il n'irait pas plus loin.

— Nous sommes mariés maintenant, Megan, répliqua-t-il en s'asseyant dans un fauteuil près de la porte.

— Nous ne nous connaissons même pas, lui rappela-t-elle.

Elle fit un pas de côté en direction de la salle de bains, la robe de mariée toujours étroitement drapée devant elle.

— Il faut bien commencer quelque part.

— Pas tant que je suis déshabillée.

48

— Très bien. Je vais fermer les yeux.

Megan ouvrit la porte de la salle de bains, fit un pas à l'intérieur et, depuis l'embrasure, lui jeta un regard en coin.

— Je n'ai pas confiance en vous, dit-elle.

— Ce n'est guère le début d'un heureux mariage, répondit-il, la tête rejetée en arrière, les yeux clos.

A la hâte, Megan laissa tomber la robe de mariée et chercha autour d'elle sa jupe et sa blouse. Tout en s'habillant, elle entretint la conversation.

— Ce n'est tout de même pas votre conception d'un mariage normal ? demanda-t-elle.

— Ça pourrait l'être, dit-il.

Megan lui glissa un nouveau coup d'œil à la dérobée. Il fermait toujours les yeux. Elle se hâta de boutonner sa blouse jusqu'en haut avant de glisser le bas dans la ceinture de sa jupe.

— Votre mère m'aime bien, annonça-t-elle.

— Vous le dites comme si c'était une mauvaise chose.

— En effet. Nous lui mentons et cela ne me plaît pas.

— Je vais tout lui expliquer, promit-il.

— Parfait. Elle paraît très gentille.

Megan se pencha et enfila ses escarpins à talons aiguilles. Habillée, elle avait enfin l'impression d'avoir repris un peu plus le contrôle d'elle-même.

— C'est bon, vous pouvez ouvrir les yeux, maintenant, dit-elle en sortant de la salle de bains.

Simon obéit puis se leva et traversa la pièce pour s'arrêter juste devant elle.

— Pourquoi ne pas m'avoir dit que vous étiez une Ashton ? demanda-t-il tout à trac.

Megan inclina la tête de côté et leva les yeux vers lui.

— J'ai travaillé un mois avec vous, Simon. Ce n'était pas un secret.

— Vous ne me l'avez jamais dit.

— Vous ne me l'avez jamais demandé.

— Exact, admit-il.

Puis il déboutonna sa jaquette d'habit, en rabattit les pans en arrière et enfonça les mains dans ses poches.

— J'aurais dû le faire. Enfin, que vous soyez une Ashton risque de rendre les choses un peu plus… compliquées.

— Comment ça ?

La lumière du soleil de cette fin d'après-midi brillait à travers les fenêtres dominant les jardins et la piscine. Le parfum des roses emplissait l'atmosphère, apporté par une brise légère qui s'infiltrait par les croisées entrouvertes.

— Les journaux vont être plus intéressés que jamais par notre mariage, il faut vous en rendre compte, dit Simon.

Megan n'y avait pas encore songé, mais il avait sans doute raison. Les médias ne cessaient jamais de harceler son père pour une chose ou une autre. Mais, à grandir sous l'œil du public, elle avait tendance à l'oublier. Maintenant, elle commençait à comprendre qu'être la fille d'un homme puissant et l'épouse d'un homme encore plus puissant pouvait la rendre plus intéressante aux yeux de la presse.

— Ce n'est que pour une année, lui rappela-t-elle.

— Oui, mais il est plus important que jamais maintenant d'offrir la façade d'un véritable mariage.

Il s'écarta un peu, regarda par la fenêtre puis tourna son regard vers Megan.

— La lune de miel aux Fidji sera un bon début.

Il jeta un coup d'œil sur sa montre et hocha la tête comme s'il prenait note mentalement.

— Vous avez juste le temps de faire vos bagages. Ne vous embarrassez pas de trop d'affaires. Nous ferons un petit saut à Paris où vous pourrez faire quelques emplettes.

50

L'offre aurait fait frémir d'une heureuse anticipation toute autre femme que Megan. Mais elle n'était pas la plupart des femmes.

— Les *Fidji* ?répéta-t-elle.

Elle secoua la tête.

— Désolée, c'est impossible.

— Impossible ? Que voulez-vous dire ? demanda-t-il d'un ton brusque en se retournant pour la dévisager. Vous étiez d'accord pour jouer cette partie de la pièce, Megan.

— Cette partie du mariage, oui. Mais pas la lune de miel ! J'ai un métier, Simon.

Il eut un rire bref.

— Un métier ? Vous travaillez pour votre famille, voyons.

Megan se raidit comme chaque fois que quelqu'un lui laissait entendre qu'elle n'était qu'une petite fille riche et gâtée qui se faisait plaisir en organisant des fêtes.

— Mon métier est important pour moi et j'y suis bonne, répliqua-t-elle d'un ton sec. Dans les deux prochaines semaines, je dois m'occuper de deux mariages et d'une réception d'anniversaire ici sur le domaine. Je ne peux pas m'en aller. D'ailleurs, je ne le ferais pas, même si je le pouvais.

— Vraiment ? demanda-t-il, en plissant les yeux. Et pourquoi ça ?

— Parce que, Simon…, dit-elle en se dirigeant vers lui, je suis peut-être l'épouse de rechange de la dernière heure, je me suis peut-être mariée dans la robe d'une autre, et j'ai peut-être aussi été obligée de porter l'alliance choisie pour quelqu'un d'autre, mais…

Elle marqua une pause, le regarda droit dans les yeux et s'écria d'une voix sans appel :

— Mais je veux bien être pendue si j'accepte de partir en lune de miel à la place d'une autre !

Simon la dévisagea, l'air de ne pas comprendre du tout ce qui était en train de se passer.

— Qu'est-ce qui ne va pas avec cette bague ?

Il ne comprenait rien à rien. Cela n'était du reste pas très étonnant, songea Megan devant son air ébahi.

— Ce n'est pas la *mienne*, dit-elle d'une voix morne, les yeux baissés sur l'anneau d'or surmonté d'un gros diamant lui-même entouré d'émeraudes.

Jamais elle n'aurait fait un tel choix. En outre, le fait qu'elle soit obligée de la porter allait constituer un constant rappel que son mariage n'était pas *vrai*. Qu'elle avait épousé un inconnu et ramassé les miettes d'une autre.

— Vous n'aimez pas les diamants, c'est ça ? insista Simon.

Il paraissait tellement surpris qu'elle faillit éclater de rire.

— Toutes les femmes aiment les diamants, répliqua-t-elle. Mais je n'apprécie guère l'or jaune et je déteste les bagues énormes et les émeraudes aussi.

L'air pensif, Simon fronça les sourcils.

— Je pourrais…

— Aucune importance, dit-elle, satisfaite de l'interrompre pour une fois. J'ai dit que je le ferai et je m'y tiendrai. Mais que les choses soient claires : je n'ai pas l'intention de partir en lune de miel aux Fidji avec un homme que je ne connais pas.

Lorsqu'elle eut fini de parler, un silence plana sur eux pendant de longues minutes.

— Il y avait bien longtemps, dit enfin Simon, que personne n'avait eu le front de discuter ainsi avec moi.

Avec un rire bref, Megan se dirigea vers la porte.

— Bienvenue dans votre nouveau monde !

— Où allez-vous ? interrogea-t-il.

— Je retourne travailler, dit-elle d'un ton bref. Je dois terminer certains préparatifs pour le mariage de la semaine prochaine.

Elle sortit, et Simon se retrouva seul, le claquement régulier des talons qui s'éloignaient résonnant étrangement à son oreille.

4.

— Tu es vraiment folle à lier, lança Paige, appuyée contre le mur du bureau de Megan, les bras croisés sur la poitrine. Non seulement tu épouses un inconnu, mais maintenant, tu refuses une lune de miel aux Fidji ?

Megan lui jeta un bref regard avant de baisser de nouveau les yeux sur l'écran de son ordinateur. Il y avait deux heures maintenant qu'elle était mariée et rien ne lui paraissait réel. Elle ne parvenait toujours pas à croire qu'elle avait vraiment fait cette chose incroyable. Mais la bague criarde qu'elle portait à la main gauche suffisait à le lui rappeler. Elle avait pourtant tenté d'oublier ce dans quoi elle venait de s'engager. Après tout, Simon ne s'était adressé à elle que parce qu'elle était la seule qu'il ait trouvée dans l'urgence de la situation…

Cette pensée la déprima. Si elle avait pris un peu de temps pour réfléchir, sans doute n'aurait-elle pas accepté. Pour autant, se dit-elle en guise de consolation, si elle ne l'avait pas fait, elle en serait encore à se débattre avec le problème de son père et de Willie. Raison bien suffisante pour lui donner le frisson.

— J'ai du travail, Paige, dit-elle. Il m'est impossible de m'absenter deux semaines.

— Bien sûr ! Parce que personne d'autre à ta place n'est qualifié pour passer quelques coups de fil et retenir un traiteur ?

Megan soupira et se renversa dans son fauteuil. Son bureau se trouvait juste derrière la salle de réception au premier étage de la propriété. Ici, dans cette pièce, elle s'était créé son propre petit univers. Une tenture couleur vieux rose recouvrait l'un des murs, en parfaite harmonie avec la brique de la cheminée. Sur les autres murs, des reproductions de tableaux impressionnistes étaient accrochées, contribuant à créer une ambiance à la fois sobre et féminine. La pièce était chaleureuse et accueillante, pas du tout dans la note de ce qui plaisait habituellement au reste de la famille Ashton.

Par la porte de communication réservée aux traiteurs, lui parvenaient un bourdonnement de voix et un cliquetis de vaisselle. A travers la baie surplombant une vaste pelouse qui s'étalait devant la maison, Megan apercevait le large chemin qui en faisait le tour ainsi que l'immense piscine à côté de laquelle, en cet instant précis, se tenait son jeune époux, portable collé à l'oreille.

Paige fit quelques pas vers les fenêtres puis se retourna pour observer sa sœur. L'air incrédule, elle demanda :

— Regarde-le, Megan. Quel homme magnifique ! Qui refuserait de s'envoler avec lui vers une île paradisiaque et de le débarrasser de cet élégant costume ?

— Moi, sans aucun doute, répliqua Megan dans un souffle.

Elle se leva et contourna son bureau. Traversant le tapis d'Orient jeté sur les dalles de marbre, elle rejoignit sa sœur pour observer l'homme qu'elle venait d'épouser.

— Bon, d'accord, il est agréable à regarder, concéda-t-elle.

— Agréable ? Mieux que ça, non ?

— Oui, c'est entendu.

Et ce baiser, songea-t-elle au souvenir du premier contact de sa bouche sur la sienne. Elle ne s'était pas attendue à ressentir de telles sensations. Des lumières, des étincelles, des décharges électriques avaient secoué son corps tout entier.

— Mais, ajouta-t-elle, cela n'a aucune importance.

Paige tendit la main et lui toucha le front.

— Non. Tu n'as pas la fièvre.

— Très amusant !

Megan repoussa la main de sa sœur. Là-bas, Simon lissait d'une main ses cheveux ébouriffés et elle avala sa salive avec difficulté. Il fallait tenir bon, se dit-elle. Pourquoi s'en faire ? Ils étaient déjà tombés d'accord pour qu'il n'y ait pas de sexe entre eux pendant une semaine. Alors pourquoi regrettait-elle soudain leur petit arrangement ? Parce qu'en fait, Paige avait raison : elle était folle à lier !

— Eh bien, insista Paige en secouant la tête, je persiste à dire que tu aurais dû partir aux Fidji.

— Je ne peux pas.

— D'accord, compris, dit sa sœur, mais tu devrais au moins partir d'ici avant que père ne revienne à la maison. A moins que tu ne veuilles qu'on ne fête le jour de ton mariage et l'anniversaire de ta mort le même jour ?

— Oh, mon Dieu ! s'exclama Megan.

Elle avait eu tellement à faire qu'elle en avait oublié Spencer Ashton. Mais c'était surtout parce qu'elle n'avait pas du tout voulu penser à lui. Parce qu'elle savait bien qu'une fois mariée, elle devrait affronter la tâche d'annoncer à son père qu'elle avait irrémédiablement compromis ses projets. Qu'elle n'épouserait jamais le fils du sénateur Jackson. Le spectacle, elle le savait, ne serait pas joli à voir... A cette pensée, elle sentit son estomac chavirer.

Toute sa vie, elle s'était efforcée de plaire à Spencer Ashton. Elle avait essayé d'être la fille qu'il désirait avoir. L'héritière qu'il souhaitait qu'elle soit. Petite fille, elle rêvait qu'il la regarde un jour et lui dise : *Je suis fier de toi, Megan*. Et, même si elle détestait se l'avouer, il subsistait encore en elle quelque chose de cette enfant-là. Elle attendait toujours l'approbation paternelle. Même si elle avait grandi et accepté depuis bien longtemps que Spencer Ashton ne serait jamais non plus le père dont elle avait rêvé.

— Je ne parle même pas de ce que va en dire mère, murmura Paige.

— Pitié ! déclara Megan.

Pourquoi n'y avait-elle pas pensé plus tôt ? se désola-t-elle intérieurement. Comment expliquer à ses deux parents qu'elle venait de se marier sans les avoir invités et, surtout, sans même les avoir prévenus ?

— Alors, que comptes-tu faire ?

Megan jeta vers sa sœur un rapide regard puis retourna à son bureau. Elle tira son sac du tiroir du fond qu'elle referma d'un claquement sec et se leva.

— Je vais suivre ton conseil et filer d'ici. Et vite !

Simon Pearce n'était pas le genre d'homme à se laisser ignorer. Alors il n'était pas question, songeait-il, de l'être par sa propre femme. Sa *femme*...

Dire qu'il était marié à une Ashton ! Cela signifiait-il qu'il devrait se montrer « civilisé » avec Spencer Ashton ? Voilà qui allait contre tout bon sens. Spencer Ashton passait pour un requin sans cœur, et avait la réputation d'avoir autant de scrupules qu'un malfrat dérobant à une vieille dame les petites économies de sa vie.

Le soleil de la fin d'après-midi projetait des reflets à la surface de la piscine et Simon cligna des yeux pour se protéger de la réverbération. Une brise tiède frôlait l'eau calme, emportant derrière elle la fragrance un peu douceâtre des roses du jardin entretenu à la perfection. Simon raffermit sa prise sur le téléphone portable et tenta de se concentrer sur ce que Dave Healy était en train de lui dire.

— Simon, si tu n'es pas encore en route pour les Fidji comme prévu, pourquoi ne pas te rendre à la réunion avec la société Franklin ?

Bon sang ! songea Simon. Dire qu'il avait travaillé pendant quatre semaines afin d'élaguer son calendrier et de pouvoir partir en lune de miel ! Or, à présent qu'il avait du temps, il n'était pas du tout certain d'avoir envie d'y renoncer.

— Vois-tu, que nous partions ou non, Megan et moi devons au moins donner l'impression d'un heureux couple de jeunes mariés.

— Tu crois vraiment que c'est une bonne idée ?

En fait, Simon s'était lui-même posé la question, dès l'instant où Megan avait prononcé son nom tout entier devant le pasteur. Une Ashton, juste ciel ! Quelles allaient être les conséquences de son mariage *accidentel* avec une femme dont la famille était encore plus en vue que la sienne ? Il se passa lentement une main sur la joue. Ils allaient avoir les médias aux trousses pendant au moins plusieurs semaines. Il devait s'attendre à voir des paparazzi perchés dans les chênes, leurs téléobjectifs braqués sur sa demeure.

Il frémit en imaginant leur regard vorace s'ils apprenaient la vérité sur ce mariage… Il avait habilement expliqué l'absence au mariage des parents de Megan — décidé, avait-il raconté, sur un coup de tête. Puis il avait glissé sur le fait que sa propre mère était présente. Mais il savait qu'ils reviendraient vite à la charge, et qu'il n'avait pas une minute à perdre pour s'y préparer. Il avait besoin de disposer d'au moins quelques jours pour discuter de tout cela avec Megan. Pour dresser des plans. Apprendre à affronter le monde et lui opposer un front uni. Sinon, la farce serait jouée avant même d'avoir commencé.

— C'est la seule solution, déclara-t-il à Dave. De toute façon, il est trop tard pour revenir en arrière. Megan et moi sommes mariés et nous gérerons les événements au fur et à mesure.

Il entendit Dave soupirer à l'autre bout du fil.

— Dans ce cas, conclut ce dernier, je me débrouillerai avec Franklin. Bonne chance avec ta petite femme.

— Très bien.

Simon ferma son portable et se retourna pour considérer la façade ostentatoire de la demeure des Ashton. La pierre de couleur crème paraissait briller dans la lumière tamisée de la fin de journée. La maison était bâtie au sommet d'une éminence d'où l'on avait un point de vue magnifique sur le vignoble. Simon n'avait jamais vraiment prêté attention à cette bâtisse, et il se mit soudain à l'observer d'un œil nouveau.

Elle aurait pu être l'œuvre d'un de ces chevaliers d'industrie du XIXe siècle, plus riches d'argent que de bon goût. Il avait entendu dire que lorsqu'elle était habitée par la famille Lattimer, elle était beaucoup plus petite. Mais, devenue possession de Spencer Ashton, ce dernier l'avait « améliorée ». Il y avait ajouté deux ailes massives, flanquées à chaque bout d'une tour conique et, pour tout dire, l'homme avait transformé un petit manoir de campagne en véritable palais. Telle quelle, songea-t-il, elle dégageait autant de chaleur que ses dallages de marbre…

Simon glissa son portable dans sa poche de jaquette et se dirigea vers l'entrée principale. Il était grand temps de récupérer son épouse et de commencer leur mariage fictif.

— De quel genre d'affaires peut-on avoir besoin quand on se marie ? murmura Megan en ouvrant largement les portes de sa penderie.

Certes, elle devrait envoyer chercher *tout* ce qui lui appartenait si elle comptait rester mariée un an. Mais, pour l'instant, elle n'avait besoin que de quelques vêtements. Mais lesquels ? A l'aveuglette, elle décrocha des cintres une pleine brassée de vêtements et revint vers le lit sur lequel était posée sa valise. Depuis des années, elle faisait elle-même ses bagages, malgré l'insistance de sa mère qui aurait préféré qu'elle laisse la femme de chambre s'en charger. Mais Megan aimait choisir elle-même ce qu'elle allait porter. Ainsi, il n'y aurait aucune surprise. Elle s'activa donc, rapide et efficace, pendant que son esprit volait déjà vers les autres objets dont elle aurait besoin. Elle était tellement absorbée qu'elle n'entendit pas sa mère pénétrer dans la pièce.

— Voudrais-tu bien m'expliquer ? lança cette dernière d'une voix blanche.

Les mains de Megan s'immobilisèrent et elle frémit légèrement avant de relever les yeux sur Lilah Ashton, qui se tenait debout au pied du lit.

A quarante-neuf ans, la mère de Megan était encore une très belle femme. Ses cheveux roux mi-longs conservaient leur teinte d'origine grâce à de fréquentes visites à son coiffeur favori. Son ensemble pantalon de couleur crème, œuvre d'un grand couturier, était mis en valeur par une blouse de soie rouge foncé. De l'or brillait à ses oreilles et à ses poignets. Grâce au régime strict qu'elle s'imposait depuis toujours, Lilah avait gardé la même silhouette svelte que lorsqu'elle était entrée au service de Spencer comme assistante. Elle avait des yeux bleus acérés auxquels peu de choses pouvaient échapper.

— Hello, maman, dit Megan en se préparant à ce qui allait suivre.

Au fil des années, les confrontations entre elles avaient été rares. Megan aimait sa mère, tout en sachant que Lilah se serait très bien passée d'avoir des enfants. Non qu'elle ne les aimât pas, mais l'instinct maternel de Lilah était assez limité, voire superficiel. Elle était beaucoup plus intéressée par ses clubs et ses bonnes œuvres, laissant Megan, Paige et leur frère Trace aux mains d'une succession de nounous.

— Je ne t'avais pas vue entrer, dit Megan.

— Rien de surprenant à ça, répondit sa mère avec un geste élégant de la main en direction de la valise ouverte. Tu as bien autre chose en tête, n'est-ce pas ?

Megan sentit s'enfoncer en elle les pointes aiguisées de la culpabilité.

— Oui, euh, j'aurais bien aimé t'en parler, mais cet après-midi, tu étais occupée à rassembler des fonds et…

— Te rends-tu compte de la position dans laquelle tu me mets ?

Megan aspira une grande bouffée d'air.

— Je sais que père sera contrarié parce que je n'épouserai pas Willie, mais…

— Ne t'imagine pas une seconde que je me préoccupe de la réaction de ton père ! l'interrompit aussitôt Lilah.

Décidément, songea Megan, irritée, personne ne lui laissait jamais le temps de finir ses phrases ! Pourquoi ne l'avait-elle jamais remarqué ? Il était évident que sa mère ne se préoccupait guère des réactions de Spencer. Même s'ils habitaient sous le même toit, cela faisait des années qu'ils vivaient chacun de leur côté.

— Je suis désolée, maman, dit Megan.

En fait, elle l'était pour un tas de raisons, dont la moindre n'était pas le fait que sa mère et elle n'avaient jamais été proches. Mais il était trop tard pour se lamenter.

— Je t'en prie, Megan, répliqua Lilah d'un ton froid. Si tu avais voulu me mettre au courant de ton « mariage », il t'aurait été très facile de le faire. Ce que je veux savoir, c'est depuis combien de temps tu l'avais projeté ?

Seigneur, se dit Megan. Voilà un point que Simon et elle n'avaient pas abordé. Devait-elle avouer la vérité à sa famille ? Admettre qu'elle n'était qu'une épouse de rechange et vivre ensuite pendant un an sous leurs regards entendus ?

Elle décida que c'était impossible. D'autant que si par miracle elle survivait à la fureur de son père, elle aurait besoin de le convaincre qu'elle avait prévu de se marier depuis au moins quelques semaines. Et pour convaincre Spencer, il fallait aussi que Lilah la croie. Megan n'était pas stupide. Elle savait que le mariage de ses parents n'était plus autre chose qu'une simple convenance depuis des années. Si bien que si sa mère la croyait, elle s'opposerait à Spencer, ne serait-ce que parce qu'elle adorait bouleverser les plans de son mari.

— En fait, répondit Megan, cela s'est décidé très vite.

Au moins, ce n'était pas faux.

— Il m'a vraiment conquise.

Lilah haussa un sourcil.

— J'ai un peu de mal à te croire, Megan. Tu n'as jamais été quelqu'un de très impulsif.

Elle tapota le devant de son pantalon et contourna le lit à colonnes pour se poster à moins d'un mètre de sa fille. Les yeux rivés sur les siens, elle conclut d'une voix lente :

— En tout cas, le mal est fait. As-tu eu la moindre pensée pour la situation dans laquelle tu vas me mettre vis-à-vis de mes amies ?

— Pardon ? demanda Megan d'une voix étranglée.

Elle dévisagea sa mère et nota la rougeur qui envahissait ses joues habituellement d'une pâleur de lait.

— Ne comprends-tu pas que tout le monde pensera que tu ne voulais pas de ta mère à ton mariage ? s'écria Lilah. Que vais-je bien pouvoir leur dire à présent ?

— Je n'avais pas l'intention de te contrarier, maman, dit Megan tout en serrant les poings pour s'empêcher de crier.

Ainsi, songea Megan avec un sentiment d'amertume, le fait qu'elle ait épousé un homme que sa mère ne connaissait même pas ne semblait pas vraiment troubler cette dernière. Non, le réel problème de Lilah était la manière dont elle allait pouvoir se tirer d'embarras aux yeux des dames de la Ligue de Napa !

A cet instant, Megan aurait été incapable de dire ce qui, de la colère ou de la tristesse, l'emportait dans son cœur. Malgré son enfance délaissée, il y avait encore au fond de son cœur un petit coin qui désirait être aimé. Oh, comme elle aurait voulu avoir le genre de relation avec ses parents que les autres paraissaient trouver si naturelle !

— En somme, reprit Lilah en fronçant les sourcils d'un air sévère, tu n'as pas du tout pensé à moi ! J'aurais cru mériter un peu plus de considération.

— Tu as raison, s'entendit répondre Megan.

Les mêmes mots qu'elle employait toujours lorsqu'elle était confrontée à un problème familial, se dit-elle, tandis qu'un sentiment d'échec la submergeait. C'était toujours elle qui cédait, toujours elle qui s'efforçait d'apaiser les eaux troublées ! Pourtant, Dieu sait si, en dehors de la maison, elle n'avait aucune difficulté à se faire entendre. N'était-elle pas la première à s'élever contre des traiteurs malhonnêtes ou des commerçants peu aimables ? Même avec son frère ou sa sœur, elle était capable de défendre ses opinions. N'avait-elle pas enfin fait preuve de sa détermination en n'hésitant pas à contourner un peu la loi pour épouser Simon Pearce ? En revanche, lorsqu'il s'agissait de dire ce qu'elle pensait à sa mère, elle redevenait une petite fille qui essayait de faire plaisir à sa maman.

— Dommage qu'il soit trop tard, dit Lilah en tapotant ses cheveux toujours parfaitement coiffés.

Elle contempla Megan un long moment avant de lancer :

— J'espère au moins que tu sais ce que tu fais.

— Parfaitement, répondit Megan, l'écho de l'échange des vœux résonnant encore à ses oreilles.

Lilah secoua la tête et, tout à coup, quelque chose brilla au fond de ses yeux. Comme un éclair de sympathie, ou de compréhension. Mais Megan n'eut pas le temps d'approfondir : cela n'avait duré qu'un instant et, déjà, sa mère avait retrouvé son regard sec.

— Je me le demande, reprit Lilah en soupirant. As-tu bien compris que tu abandonnes la maison d'un homme puissant pour t'en aller avec un homme qui lui ressemble ?

Megan tressaillit. Simon était-il réellement semblable à Spencer ? Au cours des semaines passées à travailler à ses côtés, elle en était venue à connaître l'homme. Du moins, un petit peu. Oui, bien sûr, il était riche et puissant. Mais elle n'avait jamais remarqué en lui la froideur que son père transportait partout autour de lui. Megan avait pris la décision d'épouser Simon par pur instinct. Mais la question de sa mère avait insinué le doute en elle. Ne risquait-elle pas de tomber de Charybde en Scylla ? se demanda-t-elle avec angoisse.

— Je te souhaite bonne chance, Megan, conclut Lilah en se détournant pour quitter la pièce, tête haute, pour bien faire comprendre à sa fille son exaspération et son déplaisir.

Megan la regarda disparaître, et poussa un soupir de soulagement quand la porte se referma. Ça aurait pu être pire, songea-t-elle.

Elle se laissa choir sur le lit et le silence l'enveloppa complètement. Elle avait mal au cœur et à la tête. Oh oui, le jour de ses noces s'était déroulé exactement comme elle l'avait toujours imaginé : une dispute avec sa mère, l'absence de son père, et des valises bouclées dans la solitude pour pouvoir fuir plus vite la maison.

— Bonté divine, Megan, murmura-t-elle. A quoi pensais-tu donc ?

Elle expira profondément pour tenter de se débarrasser du nœud qui se formait dans son estomac. Quand elle vit que ça ne marchait pas, elle regarda autour d'elle, à la recherche du réconfort que pourrait lui apporter son environnement familier. Au cours des années, sa chambre n'avait guère changé. Bien sûr, elle avait débarrassé les étagères de ses poupées pour les remplacer par des kilomètres de bouquins. Des livres dans lesquels elle se plongeait, s'imaginant en être un des personnages, quand la réalité de sa vie de pauvre petite fille riche était trop lourde à supporter…

Les murs étaient d'un vert très pâle par opposition au beige que sa mère avait exigé partout ailleurs. Des portes-fenêtres s'ouvraient sur sa terrasse privée par lesquelles s'engouffrait la douce brise de mars. C'était la seule pièce agréable de la maison. Son domaine privé. Là au moins, elle se sentait en sécurité.

Enfant, Megan s'y était réfugiée quand les disputes entre ses parents parvenaient jusqu'au premier étage en haut de l'escalier. Des années plus tard, elle y était venue sangloter le soir où son père lui avait raconté qu'il avait acheté son dernier petit ami pour qu'il la quitte. C'est aussi là qu'elle avait rêvé d'avoir un jour un mari… une famille.

A présent, pensa-t-elle avec tristesse, elle avait un mari. Mais pas du tout de la manière dont elle avait rêvé. Sa mère avait-elle raison ? S'était-elle jetée à l'aveuglette dans un mariage qui n'était jamais que le miroir de celui de ses parents ? Si c'était vrai, comment allait-elle supporter l'année que Simon et elle avaient décidé de passer ensemble ?

Megan redressa les épaules. Rien ne l'y obligeait, après tout. Elle pouvait faire machine arrière maintenant. Que lui importait à elle si les médias en faisaient des gorges chaudes et harcelaient Simon Pearce sur ses épousailles éclair ?

Sauf que si elle renonçait à ce mariage, songea-t-elle, son père la forcerait à épouser Willie. En outre, elle se sentait liée par le marché qu'elle avait conclu. De toute sa vie, Megan n'était jamais revenue sur sa parole. Elle n'allait quand même pas commencer maintenant ? Même si elle en avait très envie…

— Dure journée ?

Elle releva brusquement la tête et son regard croisa celui de Simon, debout dans l'embrasure de la porte. Alors, malgré la manière dont son mariage avait débuté, Megan le vit à cet instant comme un canot de sauvetage lancé dans un océan déchaîné.

5.

Il courra à droite ou bien des mouettes, et quelque fraîcheur dans lui long couvrir bien Simon et Simon il quatre dans la chambre il matin, elle à c'était au descent et se construit de ragards. Très unestation, la pièce d'un doublée par un d'à g'encore telle une large. À Simon tu serait en logain lui à MÈ tu ne pot lecque fer tu Simon au lumine d'Mayyura coué, Ent liumbui avec peru, lour gicompent d'à la table y sentence du à lui paroschait pont et à au refens le sui côté en regrent que Simon n'étant de

La maison de Simon n'était pas aussi grande que la propriété. Mais quelle autre demeure aurait pu l'être, de toute façon ? De l'extérieur, elle offrait à la vue une série d'angles aigus de verre et de bois gris et battu par les intempéries. Elle donnait l'impression de se défendre, d'être moderne et de former un contraste absolu avec le moutonnement doux des verts coteaux. Mais à l'intérieur, songea Megan tout en parcourant des yeux le hall d'entrée, c'était une autre histoire. Ici, la maison de Simon prenait de la chaleur et un aspect bien plus accueillant. En se dirigeant vers l'escalier, Megan jeta un œil curieux vers chaque pièce. Des sofas et des fauteuils plus que confortables, des tapis, des meubles de bois bien cirés, des lampes Tiffany dont les abat-jour de couleur brillaient comme des joyaux et jetaient des éclats de lumière autour d'eux. Tout ici respirait le confort. On était bien loin de la *Villa Ashton* où la première règle que Megan et ses frère et sœur avaient apprise était de *ne pas toucher*. Son regard se posa ensuite sur Simon qui la précédait dans l'escalier, sa valise à la main. Le tic-tac d'une horloge de grand-père au pied de l'escalier les suivait à chaque pas, tel un cœur qui bat.

— C'est très beau, remarqua Megan un peu platement, moins pour meubler le silence de la grande maison que pour se donner une contenance.

— Merci, dit Simon.

Il tourna à droite en haut des marches, et Megan le suivit dans un long couloir bien éclairé. Quand il pénétra dans la chambre de maître, elle s'arrêta sur le seuil et se contenta de regarder. Très masculine, la pièce était dominée par un lit à colonnes tellement large qu'il aurait pu servir de terrain de football. Megan ne put s'empêcher de penser au marché qu'ils avaient conclu. Elle déglutit avec peine, tout en songeant que la taille gigantesque du lit lui permettrait peut-être de se réfugier d'un côté en espérant que Simon resterait de l'autre. Tout au moins pour la semaine qui s'annonçait. Et lorsqu'elle serait terminée ? Un picotement d'appréhension la parcourut. Mon Dieu ! se demanda-t-elle pour la énième fois. Dans quelle galère était-elle embarquée ? Allons, elle devait arrêter de faire une fixette sur ce lit…

Le reste de la chambre était meublé avec simplicité mais beaucoup de goût. A gauche, une baie vitrée qui occupait toute la largeur d'un mur offrait une vue stupéfiante sur la vallée en contrebas. De part et d'autre des fenêtres, des banquettes capitonnées invitaient à la rêverie, tandis que devant la cheminée de brique était disposé un confortable fauteuil recouvert d'un tissu chatoyant. Simon déposa la valise sur le lit pendant que Megan pénétrait à l'intérieur de la pièce et jetait un coup d'œil à la salle de bains attenante — des mètres de carrelage bleu ciel et une baignoire immense.

— Ça va mieux ? demanda Simon en la dévisageant.

Megan se secoua et hasarda un regard vers lui.

— De quoi parlez-vous ? demanda-t-elle.

Elle le vit esquisser un sourire.

— Vous n'aviez pas un air bien fameux en quittant votre maison, expliqua-t-il.

68

— Je vous remercie ! C'est typiquement ce que toute jeune mariée rêve d'entendre le jour de ses noces !

— Ecoutez, dit-il, en s'approchant d'elle. Je sais que la journée n'a pas dû être facile pour vous…

— Au moins a-t-elle été intéressante, répondit-elle d'une voix qui se voulait légère, tandis qu'elle le voyait avancer jusqu'à elle.

Quand il ne fut plus qu'à quelques centimètres d'elle, Megan fut frappée par l'odeur de son eau de toilette, un parfum musqué et pénétrant. Mais plus encore que son parfum, ce furent ses yeux qui la fascinèrent. Leur éclat gris si incroyable l'hypnotisait presque, et elle se rendit compte que cela lui plaisait. Elle n'avait pas du tout envie de fuir son regard, au contraire, elle aurait voulu que cela ne s'arrête jamais…

De longues minutes s'écoulèrent et, tout à coup, Megan fut frappée par le silence de la grande maison. Chez elle, il y avait toujours des gens qui parlaient, criaient ; de la musique qui s'échappait soit de sa chambre, soit de celle de Paige. On entendait la télévision de Trace et la voix des commentateurs sportifs si assommants résonner le long des couloirs. Ici en revanche, si elle ouvrait une fenêtre, Megan était à peu près certaine qu'elle n'entendrait que le murmure du vent dans les arbres. Elle en avait presque peur.

— Est-ce toujours aussi tranquille ? interrogea-t-elle soudain.

Simon se figea, inclina un peu la tête de côté comme s'il écoutait quelque chose et finit par hausser les épaules.

— Oui, je suppose que oui. Pourquoi ?

— Vous ne trouvez pas cela un peu… étrange ?

Il se mit à rire. D'un rire bref, rauque, comme s'il n'en avait pas l'habitude, songea Megan. Ce qui était dommage, car elle avait adoré le pétillement qui éclairait ses yeux gris les rares fois où elle l'avait vu rire.

— Vous avez peur des fantômes ? demanda Simon d'une voix taquine.

— Non, rétorqua-t-elle, un peu irritée. C'est juste que je ne suis pas habituée à un tel calme.

— Vous vous y ferez, affirma-t-il.

— Ou je trouverai un moyen de m'en arranger.

Il la fixa d'un air interrogateur.

— L'année va être longue, c'est ça que vous pensez ?

Pour la première fois depuis le matin, Megan lui sourit.

— Plutôt, oui.

Simon observait sa femme qui se déplaçait dans la cuisine, s'étonnant de constater à quel point elle paraissait y être comme chez elle. Elle s'était changée et portait un T-shirt vert pâle et un short blanc qui découvrait ses longues jambes bronzées.

— Je n'aurais jamais imaginé, dit-il, qu'une Ashton soit capable de faire la différence entre un grille-pain et un mixer !

Megan lui décocha un regard furieux par-dessus son épaule tout en fouillant dans le réfrigérateur.

— Contrairement à ce que vous imaginez, mon frère, ma sœur et moi-même avons tous appris très tôt à nous débrouiller dans la cuisine.

Elle se redressa, les mains chargées de bacon, d'œufs et d'un sac de légumes. D'un léger coup de hanche, elle rabattit la porte du frigo et emporta son butin vers la plaque de granit au milieu de la pièce. Debout de l'autre côté du plan de travail, elle étala la nourriture avec un grand sourire. Simon sentit aussitôt son souffle se couper. Comment se pouvait-il qu'il n'ait jamais remarqué ce sourire auparavant ? Au cours des dernières semaines, ils avaient travaillé côte à côte plus d'une douzaine de fois et, pourtant, jamais le sourire de Megan ne l'avait autant frappé qu'aujourd'hui. Puis tout à coup, il comprit. Travailler avec lui ne portait guère les gens à sourire, songea-t-il avec une pointe de dépit.

— Je ne prétends pas que nous soyons des cordons-bleus, poursuivit Megan en cassant des œufs dans un bol joliment décoré. Mais si nous en étions réduits à nos propres moyens, nous saurions toujours nous débrouiller.

— C'est votre mère qui vous a appris, alors ? s'enquit Simon.

Il se rappela alors sa propre mère et son insistance à lui donner quelques notions culinaires, car elle ne voulait pas que sa future belle-fille la blâme d'avoir fait de Simon un assisté.

Megan se mit à rire.

— Pardonnez-moi, dit-elle en commençant à râper du fromage, c'est juste que l'idée de voir ma mère entrer de son plein gré dans une cuisine m'a paru tout à coup très comique.

Elle haussa les épaules.

— Non, c'est notre cuisinière qui nous a appris à tous les trois. Nous passions pas mal de temps dans la cuisine. Vous savez, après l'école ou pendant l'été.

— Et ça vous plaisait ? interrogea Simon.

— Oh, c'est certain. Quel gosse n'aimerait pas mettre la pagaille partout et jouer avec le feu ?

Elle lui décocha de nouveau un irrésistible sourire et, une fois de plus, Simon ressentit une étrange sensation l'envahir. Une sensation diablement agréable, mais il se força à reprendre le contrôle de lui-même. En aucun cas, se rappela-t-il, il ne devait oublier que ce mariage n'était pas *réel*. Ils avaient tous deux pris cet arrangement inhabituel avec la certitude qu'il ne devait durer qu'un an. Même si, ne put-il s'empêcher de songer, cela ne signifiait pas qu'il n'avait pas le droit de s'amuser un peu pendant cette année…

Megan fouilla les tiroirs à la recherche d'un couteau avant d'aller s'occuper des légumes. Après les avoir émincés, elle tendit la main vers le placard au-dessus du plan de travail pour prendre un poêlon à fond de cuivre. Le rebord de son T-shirt se souleva, découvrant son nombril et suffisamment d'une peau bronzée pour que Simon serre les poings pour se retenir d'y toucher. Il se leva d'un bond et alla ouvrir le réfrigérateur.

— Voulez-vous une bière ?

Megan le regarda d'un air incrédule.

— Vous demandez à une Ashton des Vignobles Ashton si elle désire une *bière* ?

— Oui.

Elle hocha la tête puis eut un grand sourire.

— C'était juste pour vérifier ! Oui, je veux bien.

Elle se dirigea vers la plaque à huit feux encastrée dans un meuble en chêne couleur de miel et posa la poêle sur l'un des feux. Elle y fit fondre une lamelle de beurre avant d'y ajouter le mélange d'œufs, de fromage et de légumes.

— Maintenant, dit-elle en s'interrompant pour boire une gorgée de bière, je ne veux pas que vous preniez l'habitude de ce genre de service. Ce n'est pas parce que je suis en train de vous préparer une fantastique omelette qu'il faut vous attendre à ce que je vous fasse la cuisine tous les soirs !

Sa bière serrée entre ses paumes, Simon la contempla. Ses grands yeux verts étincelaient à la lueur du plafonnier et ses cheveux tirés en queue-de-cheval retombaient sur ses épaules. Elle avait un parfum d'été et un sourire de démon. Elle allait le mettre à la torture, il le devinait, et il regretta soudain d'avoir accepté de passer une pleine semaine à faire connaissance. Après tout, qui avait jamais prétendu qu'il fallait faire connaissance avant de partager du super sexe ? Il suffisait de la regarder pour se rendre compte qu'avec elle, ce serait incroyablement bon. A cette pensée, son corps se durcit et il dut lutter pour se maîtriser. Ce qui ne lui était pas arrivé depuis qu'il était encore gamin… Quand il se risqua enfin à parler, sa voix était plus râpeuse qu'il ne s'y était attendu. Mais bon sang ! C'était sa faute à elle ! Pourquoi avait-elle l'air aussi… appétissante ?

— J'ai une cuisinière, Megan, dit-il. Je ne vous ai pas épousée pour vos talents culinaires.

Le sourire s'effaça du visage de Megan et elle but une autre gorgée de bière avant de reposer la bouteille sur le plan de travail.

— Si vous avez une cuisinière, pourquoi dois-je faire ceci ? demanda-t-elle tout en remuant le mélange sur le feu.

Simon se rembrunit et but encore une gorgée de bière, dans l'espoir que le liquide froid et mousseux chasserait le nœud qui s'était formé dans sa gorge.

— Parce que je lui ai donné deux semaines de congé. Comme à la gouvernante. J'étais censé partir aux Fidji, vous vous rappelez ?

Sans répondre, Megan jeta un coup d'œil à la poêle et, apparemment satisfaite, l'abandonna pour s'approcher de Simon.

— Si je comprends bien, il n'y aura que vous et moi ici pendant deux semaines ?

— Oui.

— Seuls ?

— Seuls.

Megan poussa un soupir.

— Eh bien, j'espère que vous savez comment on peut se faire livrer une pizza ?

Simon sourit.

— Je crois pouvoir arranger ça.

Megan hocha la tête.

— Dans ce cas, nous survivrons.

Allongée dans l'obscurité, Megan regardait l'ombre de la lune jouer sur le plafond. Comme c'était bizarre ! songea-t-elle. Elle tira sur ses cuisses le bas de sa courte chemise de nuit de soie, tourna la tête sur l'oreiller et, dans la pénombre, s'efforça de distinguer le profil de Simon. Etait-il encore éveillé. Portait-il un pyjama ou bien… hum, dormait-il nu ? A cette seule idée, elle sentit une délicieuse sensation monter en elle, qu'elle s'efforça de repousser aussitôt.

— Vous ne dormez pas, n'est-ce pas ?

La voix profonde de Simon brisa le silence et Megan tressaillit.

— Désolée, dit-elle d'une voix étouffée. Vous m'avez fait peur.

— Comment ça ? interrogea-t-il, d'un ton amusé. Vous saviez bien que j'étais là, quand même ?

— Oui, mais le lit est si grand ! J'ai eu l'impression que votre voix provenait du comté voisin.

— J'aime avoir de la place, observa-t-il.

Les yeux toujours fixés sur le plafond baigné de lune, Megan se dit qu'elle n'avait pas vraiment besoin de savoir pourquoi il appréciait sa chambre. Il y avait sans doute amené toute une bande de groupies… et peut-être toutes à la fois ?

Comme s'il lisait dans ses pensées, Simon ajouta d'un ton railleur :

— Je bouge beaucoup dans mon sommeil.

— Ah, dit-elle, d'un ton pas très ferme.

Megan sentit que Simon remontait les draps sur lui, et elle essaya de les retenir. Déjà que sa nuisette était bien plus courte qu'elle ne l'aurait voulu, si en plus elle perdait la protection du drap…

— Inquiète ? demanda Simon.

Il avait encore cette intonation amusée, se dit-elle en se renfrognant. Son regard quitta le plafond pour se poser sur l'alignement des fenêtres et, par-delà, le ciel semé d'étoiles.

— Pourquoi le serais-je ? rétorqua-t-elle. Vous aviez bien promis une semaine, n'est-ce pas ?

— En effet.

— Peut-on se fier à votre parole ?

— Oui, affirma-t-il en dépit des draps soyeux qui continuaient à bouger et à glisser.

Il se rapprochait, c'était indubitable, s'alarma Megan. Même si, dans un lit aussi large, il pouvait mettre une nuit entière avant de la rejoindre. Elle aspira une grande bouffée d'air.

— Alors vous n'êtes pas en train de vous faufiler dans le noir ?

— Moi, me faufiler ? répéta-t-il, et elle eut vraiment l'impression que sa voix était plus proche. Non, mais bouger, oui.

— Eh bien, arrêtez ça, voulez-vous ? dit-elle tout en se rapprochant du bord du lit.

Mais s'il continuait ses manœuvres, songea-t-elle, elle n'aurait bientôt plus d'autre possibilité que de tomber hors du lit…

— Nerveuse ?

L'odeur de l'eau de toilette de Simon lui parvint de nouveau. Très proche. Cet arôme musqué, tout à la fois sécurisant et mystérieux qui lui procurait d'étranges sensations. Sans doute à cause de l'obscurité, se rassura-t-elle. Tout était si différent, la nuit ! Les perceptions visuelles… les odeurs… les instincts… Elle savait cela parce que son instinct tout entier était en train de lui hurler de se retourner vers Simon, et non pas de s'en écarter. Déjà, depuis le dîner, elle avait commencé à ressentir ce genre de sensation. L'instant où ils s'étaient assis l'un en face de l'autre pour boire une bière par exemple, celui où ils avaient partagé une omelette, tout cela lui avait paru plutôt… agréable. Et chaque fois que Simon souriait, elle ressentait comme un vertige. Maintenant qu'ils étaient seuls dans un lit de la taille d'un océan, ses instincts allaient être durs à combattre, même si elle faisait des efforts.

— Pourquoi serais-je nerveuse ? riposta-t-elle, avec l'espoir que sa voix n'avait pas craqué sur le dernier mot.

— Nous sommes mariés, vous savez, murmura Simon d'une voix dangereusement proche.

— Certes, admit-elle. Pourtant, il ne devait pas y avoir de sexe entre nous pendant une semaine.

— Qui a parlé de sexe ? demanda Simon.

Megan ferma les yeux et étouffa un hoquet. Dans l'obscurité, la voix de Simon était un chuchotement tentateur.

— Mais alors, de quoi parlez-vous ? interrogea-t-elle en sentant son cœur battre à tout rompre.

— Juste, dit-il en se rapprochant si près d'elle qu'il pouvait presque la toucher, d'être proches.

Elle ne put s'empêcher de rire.

— Proches ? répéta-t-elle. Vous désirez juste que nous soyons proches ? Faut-il comprendre : « Nous n'avons pas besoin de faire quoi que ce soit, je veux juste vous tenir contre moi. » Ou alors : « Je ne vous ferai rien que vous ne désiriez que je vous fasse » ?

— Je voulais seulement dire, répliqua-t-il d'une voix sombre, que nous n'avons pas besoin de dormir sur les bords d'un très grand lit pour éviter tout rapport sexuel.

Megan scruta son visage autant qu'il lui était possible de le faire au clair de lune. Mais les yeux gris étaient encore plus sombres maintenant, presque indéchiffrables, et les traits de Simon s'étaient fermés.

— Je crois que je sais me maîtriser, reprit-il — et *vous aussi*...

Megan vit jouer sa mâchoire et elle se demanda ce qu'il essayait si fort de ne pas lui avouer. Mais elle ne le saurait sans doute jamais, car il prit une profonde inspiration avant d'affirmer :

— Vous n'avez pas à vous faire de souci. Je ne forcerai jamais une femme.

Bon d'accord, songea Megan, elle l'avait insulté sans le vouloir. Mais aussi, il l'avait bien cherché en empiétant sur sa moitié du lit ! Aussitôt, une petite voix lui souffla que ce qu'il l'irritait le plus, c'était d'avoir trouvé ça plus qu'agréable, mais elle préféra ne pas l'écouter.

— Ce n'est pas ce que je voulais dire, s'excusa-t-elle d'une voix mal à l'aise.

— Alors que vouliez-vous dire ?

— Juste que... oh, pour l'amour du ciel, je ne voulais rien dire du tout. D'accord ?

— O.K, répondit-il en tassant son oreiller sous son cou, avant de fermer les yeux.

Interloquée, Megan le considéra pendant quelques secondes.

— Hum..., murmura-t-elle enfin. Vous ne croyez pas que vous devriez retourner de votre côté du continent ?

Elle vit un léger sourire fleurir sur les lèvres de Simon.

— Non, je suis très bien comme ça.

Megan se contenta de le fixer pendant une longue minute, mais il ne rouvrit pas les yeux et, au bout de quelques secondes, sa respiration se fit égale et profonde, preuve qu'il s'était endormi.

— Au moins, grommela Megan, l'un de nous est parfaitement à son aise.

6.

Les deux jours suivants passèrent à la vitesse de l'éclair. Megan s'arrangea pour éviter toute confrontation avec son père, ce qui ne fut pas très difficile puisqu'il n'était visible nulle part. Il quittait le domaine tôt le matin avant l'arrivée de Megan à son bureau, et ne revenait que longtemps après son départ. Elle aurait dû en être rassurée, mais cela lui faisait l'effet inverse. Elle avait l'impression, telle une condamnée à mort, d'être en sursis, en attente du coup fatal. Elle ne parvenait pas à se relaxer dans son travail parce qu'elle savait que son père pouvait surgir à n'importe quel moment. A « la maison », il lui était tout aussi impossible de se détendre, parce que Simon était *partout*.

C'était du moins le sentiment qu'elle avait. Allait-elle nager un peu dans la piscine ? Elle en sortait pour le trouver devant elle, une serviette à la main. Se promenait-elle dans le jardin ? Il était juste derrière elle. Essayait-elle de s'endormir dans le gigantesque lit ? Il rampait à travers le matelas pour s'allonger à côté d'elle, en lui *garantissant* qu'elle n'aurait pas à le repousser.

Ce soir quand même, pour la première fois depuis son mariage précipité, Megan avait la grande maison de verre et de bois à son entière disposition. Simon devait travailler tard. Il lui avait laissé un message pour lui indiquer qu'il ignorait à quelle heure il serait de retour. Si elle en avait ressenti comme une pointe de regret, Megan s'était rassurée en se disant que c'était seulement parce qu'elle était désormais habituée à le voir derrière elle à chaque pas.

Alors, pour se prouver qu'elle appréciait sa solitude, elle glissa un CD dans lecteur, poussa le volume, et un rock endiablé se mit à résonner dans la maison vide. Puis elle gagna la salle de bains principale, vida un flacon de sels de bains dans l'immense baignoire et ouvrit les robinets. Quand les bulles parfumées au jasmin crevèrent la surface de l'eau, et que la vapeur embua les glaces, Megan se débarrassa de ses vêtements de travail et les laissa tomber sur le sol. Ensuite, elle s'empara de l'excellente bouteille de vin qu'elle avait apportée du Vignoble Ashton et s'en servit un verre. Dès la première gorgée, elle sourit et poussa un soupir détendu. Elle posa le verre et, jetant un coup d'œil à son image dans le miroir, releva ses cheveux sur le sommet de sa tête et les épingla. Avec un sourire béat, elle reprit son verre de vin et s'enfonça dans son bain telle une reine antique. Tandis que l'eau chaude continuait à couler, elle sentit la pression des deux derniers jours s'estomper peu à peu. Le vin était frais, l'eau bien chaude, et le parfum de jasmin apaisant. En cet instant, songea-t-elle avec satisfaction, elle avait tout ce qu'une femme pouvait désirer.

— Enfin, presque tout, admit-elle en son for intérieur après une nouvelle gorgée de vin.

Comme par hasard, ses pensées se tournèrent vers l'homme qui était devenu son mari. Son cerveau lui avait déjà joué ce tour à plusieurs reprises, ces derniers temps. Pendant qu'elle discutait au téléphone avec des traiteurs ou des fournisseurs, elle s'était surprise à griffonner le nom de Simon sur un bloc-notes. Pendant qu'elle s'entretenait avec une future mariée nerveuse dans la salle de réception, elle s'était rappelé le moment où elle s'était elle-même engagée dans cette allée, et aussi le regard de Simon, juste avant le moment où il l'avait embrassée. Megan sentit son corps la tirailler fâcheusement et elle s'agita, avant de s'enfoncer encore un peu plus dans l'eau mousseuse.

— Ça ne veut rien, dire, s'exclama-t-elle d'un ton morose. Oh, bien sûr que ça te démange un peu. Tu dors quand même chaque nuit à côté d'un homme nu !

Un soupir lui échappa au souvenir du matin qui avait suivi leur mariage, lorsque Simon avait rejeté les draps puis traversé la pièce, nu comme un ver. Il avait fallu à Megan toute sa volonté pour ne pas le rappeler et exiger qu'il lui fasse subir des choses incroyables. Rien qu'à y repenser, elle en avait des frissons. Mieux valait chasser ces idées trop… dangereuses, décida-t-elle.

L'eau ruissela le long de sa peau quand elle se redressa et se pencha en avant pour fermer les robinets. Maintenant, elle n'entendait plus que le clapotis de l'eau autour d'elle et la musique en provenance de l'autre pièce. Elle renversa la tête en arrière et contempla la nuit par la fenêtre qui se trouvait à côté d'elle. La première fois qu'elle avait pris une douche ici, elle avait eu peur de donner un spectacle érotique à quiconque alentour possédait un télescope. Mais Simon l'avait rassurée. La maison se trouvait au sommet d'une colline, au beau milieu de plusieurs hectares de terres, aussi n'avait-elle rien à craindre pour son intimité. Et maintenant qu'elle était rassurée sur ce point, Megan devait admettre qu'il était délicieusement décadent de se tenir nue devant des fenêtres dépourvues de rideaux.

— Encore un peu de vin ?

— Qui est là ? s'écria Megan en se laissant glisser en toute hâte sous le rideau de mousse.

Alors seulement elle osa lever les yeux vers la porte. Simon se tenait là, souriant, négligemment appuyé au chambranle.

— Vous m'avez fait une de ces peurs ! lui reprocha Megan.

— Vous auriez pu m'entendre arriver si vous n'aviez pas mis la musique si fort, lui fit-il remarquer en se débarrassant de son veston.

D'une main, Megan rassembla un peu plus de mousse autour d'elle pour se dérober à son regard.

— Vous auriez pu dire quelque chose !

— C'est très exactement ce que j'ai fait.

Simon sourit et s'empara de la bouteille.

— Un peu plus de vin ?

— Oui, s'il vous plaît.

Avec précaution, elle tendit son verre, non sans garder un œil attentif sur la mousse.

— Je vais me joindre à vous, si vous n'y voyez pas d'inconvénient, dit Simon en la servant.

— Je vous en prie, parvint-elle à articuler.

Simon attrapa un second verre, et y versa du vin qu'il goûta aussitôt. Il sourit d'un air approbateur.

— Pas mauvais.

— Merci pour le Vignoble Ashton, dit Megan.

Elle leva son verre comme pour porter un toast.

— C'est notre cru le plus populaire, vous savez, poursuivit-elle pour meubler le silence. Les gens l'achètent au tonneau et… mais qu'est-ce que vous faites ?

Simon avait posé son verre, déboutonnait sa chemise et la tirait hors de son pantalon.

— Simon ! s'écria Megan, l'œil rivé sur lui, l'autre sur le rideau de mousse qui s'éclaircissait beaucoup trop rapidement à son goût.

— Je me joins à vous, dit-il.

Il déboucla sa ceinture puis descendit la fermeture à glissière de son pantalon.

— Vous avez bien dit que ça ne vous dérangeait pas ?

— Pour le vin, répliqua-t-elle d'un ton vif.

Elle leva le verre et le pointa du doigt pour bien insister.

— Le *vin* !

Simon examina son verre avec attention, le front plissé.

— Il n'y a pas assez de place pour nous deux, là-dedans.

— Très drôle.

— En revanche, là, il y en a beaucoup, poursuivit-il, en désignant la baignoire d'un signe de tête.

Megan sentit son corps se figer. Elle aspira une bouffée d'air mais cela ne l'aida en rien. Non, c'était impossible, il n'allait quand même pas… Et pourtant, si, il allait… Au secours ! cria une petite voix en elle.

Simon se déshabilla rapidement et laissa tomber ses vêtements sur le sol. Megan ferma les yeux, mais il lui fut impossible de résister à la tentation. Comme malgré elle, elle entrouvrit un œil. Et le spectacle la laissa stupéfaite.

Grands dieux ! Aucune femme au monde n'aurait pu détourner le regard d'un corps tel que celui de Simon. Grand et mince, il était musclé à la perfection : le ventre plat, le torse large et bronzé sur lequel courait une légère toison brune.

Megan sentit sa gorge se serrer et avala précipitamment une gorgée de vin.

Son verre à la main, Simon enjamba le rebord de la baignoire. Megan le vit frémir et retenir sa respiration.

— J'ignorais que vous aviez envie de vous ébouillanter vive, observa-t-il.

Megan haussa les épaules, avant de se rendre compte que cela n'avait eu d'autre effet que de la dénuder un peu plus.

Elle s'empressa de faire remonter un peu plus de mousse vers son cou, dans le futile espoir de dissimuler un corps sur lequel il avait déjà pu avoir un large aperçu.

— J'adore l'eau très chaude.

— Vous voulez dire bouillante, marmonna-t-il en s'immergeant avec précaution dans le coin opposé de la baignoire.

Mais il s'habitua vite à la température. Il devait même admettre que ce n'était pas désagréable du tout. D'habitude, il n'était pas homme à apprécier un bain moussant parfumé au jasmin, mais il n'avait rien contre la nouveauté. Oui, quelque chose de nouveau et… *d'intéressant,* voilà qui lui plaisait.

— Je croyais que vous deviez rentrer tard, dit Megan, en buvant son vin.

— En effet, admit-il tout en songeant que ce n'était pas vraiment un mensonge.

Il avait bien eu la ferme intention de rester au bureau la plus grande partie de la soirée. Mais la pensée de Megan l'avait hanté, et il lui était devenu impossible de se concentrer. Comment un homme était-il capable d'apporter toute son attention aux petites lignes au bas d'un document quand il n'arrivait pas à chasser de son esprit la chute de reins d'une certaine personne ?

Jamais de sa vie, il ne lui était rien arrivé de tel. Et il avait besoin d'immenses efforts pour garder son sang-froid.

Il but une autre gorgée du vin frais et la laissa couler au fond de sa gorge. Puis son regard erra du côté de son épouse, cette femme qui s'était installée dans sa maison et avait dérangé ses habitudes. La femme qu'il désirait coucher sous lui, sur lui, enrouler autour de lui. La femme dont il se demandait dans ses fantasmes s'il devait ou non lui faire l'amour. Celle enfin qui le rendait… dingue.

— Alors, comment marche le travail ? demanda Megan sur un ton qu'elle voulait désinvolte.

— Super.

Sa réponse mourut sur ses lèvres, tant il se sentait troublé.

— Mais moi, non, ajouta-t-il avec une petite grimace. Mais parlons plutôt de vous : avez-vous eu des nouvelles de votre père ?

— Non.

Megan s'efforça de chasser l'image de Spencer, mais Simon vit s'allumer une étincelle au fond de ses yeux. L'angoisse était bien là.

— Je me demande ce qu'il attend, dit-elle d'une voix inquiète.

— Il n'est peut-être pas aussi catastrophé que vous l'imaginez ?

Megan partit d'un rire bref, sans la moindre trace d'humour.

— Faites-moi confiance, ça ne se passera pas comme ça.

— Dans ce cas, pourquoi attendrait-il ?

— Pour faire monter la pression, murmura-t-elle à regret. C'est ainsi que manœuvre Spencer Ashton.

Elle se rembrunit et reprit une gorgée de vin.

— Fondre sur son opposant par surprise, c'est sa règle de vie. Il l'utilise même avec sa famille.

Non, corrigea-t-elle en son for intérieur, *surtout* avec sa famille.

— Il a toujours agi ainsi, continua-t-elle, et je me laisse avoir chaque fois.

Elle frappa la surface de l'eau et une minivague vint lécher le bord de la baignoire.

— Au lieu de l'écarter de mon esprit, je le crains, je pense à lui sans cesse et, en général, je me conduis comme une idiote longtemps avant que père n'abatte sa foudre sur moi.

Simon déroula mentalement ses propres souvenirs d'enfance et compara les parents de Megan avec les siens, tout au moins leurs pères. Celui de Simon avait été un type génial. Bon père, homme d'affaires honnête et mari dévoué. En d'autres termes, un exemple difficile à suivre, ce qui expliquait sans doute pourquoi Simon avait mis tant de temps à se marier. Et aussi pourquoi, une fois qu'il avait pris sa décision, il avait choisi une femme qui n'espérait pas grand-chose de l'amour. Au moins les choses auraient été claires : pas de sentiments, pas de disputes, pas de divorce. Sauf que, songea-t-il avec ironie, il venait précisément d'épouser une femme dont il était sûr qu'il divorcerait au bout d'une année.

Une année ? C'était bien assez long…

Pour l'heure, il trempait dans une baignoire avec sa femme. Alors, il ne pouvait peut-être pas l'aider à résoudre ses soucis, mais, avec un léger effort, il serait peut-être capable de les lui ôter de l'esprit un petit moment ?

Il étendit une jambe et son pied effleura la hanche de Megan. Elle sursauta et lui fournit en même temps un bref mais alléchant aperçu de ses mamelons roses aux pointes dressées. Megan se renfonça dans l'eau et le foudroya du regard.

— Hé ! Espace personnel !

— C'est une baignoire, Megan, dit Simon d'un ton traînant. Il n'y a pas assez de place pour avoir un espace personnel.

— La baignoire est grande ! riposta-t-elle.

— Bien assez grande, admit-il.

Les paupières de Megan se plissèrent.

— Assez grande pour quoi ?

— Pour faire toutes sortes de choses.

— Très bien, annonça-t-elle, fin de l'heure du bain ! Et maintenant fermez les yeux.

Le sourire de Simon s'élargit. Il posa un bras sur le bord de la baignoire et leva son verre.

— Je ne le crois pas.

— Quoi ?

— Je disais que je ne crois pas que vous allez sortir de cette baignoire. A moins que vous ayez envie de me faire profiter de l'admirable spectacle de votre nudité…

Megan prit une profonde inspiration. Si des yeux pouvaient tuer, songea Simon, amusé, il serait déjà mort, enterré et Megan danserait sur sa tombe.

— Vous ne vous comportez guère en gentleman, il me semble, s'écria-t-elle.

— Vous vous trompez, répondit-il d'une voix qui trahissait à quel point la situation l'amusait.

Megan se retint de lui dire tout le mal qu'elle pensait de lui, avant de chercher du coin de l'œil l'endroit où sa sortie de bain était suspendue. Malheureusement, elle se trouvait à l'autre bout de la pièce, suspendue derrière la porte. Aucune chance pour elle de l'attraper sans se découvrir devant Simon.

— Pourquoi ne pas rester tout simplement assis ici tous les deux et nous détendre ensemble ? suggéra-t-il en se rapprochant imperceptiblement d'elle.

— Vous avancez ! accusa-t-elle.

— Qui, moi ?

Non, vraiment, tout cela était extrêmement divertissant, songea Simon. Il n'arrivait même pas à se rappeler depuis quand il ne s'était pas senti aussi gai. Megan poussa un gros soupir, mais il fit comme s'il n'avait rien entendu. Elle se conduisait comme une vierge effarouchée, et il trouvait ça très excitant. Il allait encore se rapprocher d'elle, comme il avait prévu de le faire depuis le début.

— Vous vous rapprochez encore, l'accusa Megan qui l'observait avec attention.

— Pas du tout. En fait, je glisse.

— Pourquoi faites-vous cela ? demanda-t-elle alors.

— Vous voulez vraiment que je vous l'explique ?

— Bon, très bien, je *sais* pourquoi, reconnut-elle avec un soupir. Mais nous nous étions donné une semaine de répit pour faire connaissance, vous vous souvenez ?

Avec un sourire nonchalant, Simon la regarda se mordiller les lèvres.

— Quelle meilleure façon de se connaître, dit-il, que de partager un bain ?

— Oh, je ne sais pas… faire une partie de bowling, peut-être ?

Il se mit à rire et, se laissant glisser à côté d'elle, l'attira près de lui, faisant jaillir des gerbes d'eau qui les éclaboussèrent et les caressèrent en même temps.

— Je ne crois pas que nous portons une tenue adéquate pour un bowling, répliqua-t-il.

— Simon, je suis sérieuse ! protesta-t-elle.

— Pourquoi être sérieux maintenant ?

Il enfonça un peu la tête dans l'eau. Plus près, encore plus près. Et enfin il posa ses lèvres sur les siennes.

D'un seul coup, tous ses sens en furent bouleversés. Son cœur se mit à battre à cent à l'heure. Son corps, soudain affamé, devint dur comme la pierre, et il vit quelque chose palpiter à la base du cou de Megan, là où battait son pouls. Comme si elle savait exactement l'effet qu'elle produisait sur lui.

— Parce que, poursuivit-elle en redressant la tête et en le regardant droit dans les yeux, nous avons fait un marché et…

— Nous avions juste dit pas de sexe, non ? chuchota-t-il en posant son verre sur le bord de la baignoire.

Sans la quitter des yeux, il plongea la main dans l'eau. Il voulait juste la toucher. Il devait absolument effleurer la soie de sa peau. Il en éprouvait un besoin soudain plus vital que celui de respirer. Il le désirait plus que tout ce qu'il avait jamais désiré au cours de sa vie entière. Alors, il prit un sein au creux de sa paume et, du pouce, en caressa la pointe. Megan soupira, se cambra contre lui, et le reste de son vin s'éparpilla dans l'eau.

— Simon…

— Ce n'est pas du sexe, lui rappela-t-il d'une voix basse et rauque, à peine audible dans le clapotement de l'eau. C'est juste…une caresse.

— Simon…, protesta-t-elle faiblement.

— Laissez-moi vous caresser, reprit-il d'une voix rauque en glissant sa main vers l'endroit où ses mamelons affleuraient à la surface de l'eau.

Il se pencha et prit doucement un des petits boutons roses dans sa bouche. Il le dégusta, le titilla, et cela fit monter en lui un feu d'une force inouïe. Il sentait bien qu'il était en train de franchir une frontière au-delà de laquelle il ne pourrait plus se contrôler. Y goûter une seule fois ne lui suffirait jamais, songea-t-il confusément.

— Simon, balbutia Megan, oh, n'arrêtez pas…

Sa voix entrecoupée enflamma Simon de plus belle et décupla ses émotions. Sans cesser de lécher avec passion les seins qu'elle tendait vers lui, il fit glisser sa main libre sous l'eau le long du corps de Megan et effleura sa peau doucement. Elle s'agitait et gémissait sous ses doigts, et cela ne faisait que renforcer l'envie qu'il avait de la posséder sans attendre. Tout son instinct hurlait à Simon de s'emparer d'elle, de la serrer contre lui, de s'enfoncer en elle et de s'y pousser jusqu'à ce que le plaisir explose en eux simultanément. Au lieu de cela, il réfréna son propre désir et se concentra sur le doux glissement de la peau de Megan contre la sienne. Sur les délicieuses courbes et vallées de son corps.

Il mordilla doucement la pointe de son sein, et la main de Megan remonta vers sa nuque, s'y accrocha comme si elle craignait qu'il ne s'arrête. Mais il ne le voulait pas. Il n'aurait pas pu. Sa faim était plus grande. Il lui fallait *tout*.

Les hanches de Megan se soulevèrent dans l'eau quand la main de Simon se faufila entre ses cuisses. Sa paume recouvrit le cœur sensible de sa féminité et la température de son corps s'éleva aussitôt comme pour se mettre en phase avec celle de sa compagne. Alors, il glissa un doigt en elle et explora son intimité en un langoureux va-et-vient. Elle gémissait sous ses caresses, et il accéléra le rythme, excité de la sentir s'abandonner entre ses mains. Alors que les premiers spasmes du plaisir commençaient à secouer le corps de Megan, il fit glisser son pouce vers le point le plus sensible de son être, et commença à le caresser avec ardeur. Aussitôt, il sentit les ongles de Megan s'enfoncer dans son dos, tandis qu'elle s'arc-boutait sous sa main. Il perçut les frissons violents qui la traversaient, et la maintint contre lui lorsqu'elle cria son nom en se laissant emporter par les vagues de la jouissance.

Megan avait la peau meurtrie et un bleu au genou de l'avoir cogné contre le bord de la baignoire, mais elle ne s'était jamais sentie aussi bien. Elle aurait dû avoir honte d'elle-même pour ce qui venait de se passer, pourtant, il n'en était rien.

Sur un petit nuage, elle descendit les escaliers, enveloppée dans un épais peignoir de bain. Au bas des marches, elle fit un petit entrechat en s'engageant dans le corridor qui menait dans la cuisine. Après tout, elle était mariée, non ? Si elle laissait son mari l'expédier vers les étoiles, allers et retours garantis pendant qu'ils trempaient tous deux dans une baignoire de la taille d'une piscine olympique, quel mal y avait-il ? D'ailleurs, elle n'avait qu'une envie, remonter là-haut et recommencer...

Pendant que Simon se douchait, elle était descendue dans la cuisine pour y chercher deux assiettes et un peu plus de vin.

Elle avait fait la moitié du chemin, toujours habitée par les derniers frissons qui faisaient chanter son corps, lorsqu'on sonna à la porte. Ce devait être pour la pizza que son époux venait de commander.

— Le livreur de pizza est là, cria-t-elle en levant la tête vers le haut de l'escalier. Envoyez votre portefeuille, mon prince !

Puis elle rebroussa chemin vers l'entrée pour aller ouvrir, mais avant qu'elle n'arrive à la porte, la sonnette retentissait pour la seconde fois. Décidément, songea-t-elle en tournant la clé dans la serrure, ce livreur était encore plus impatient que ses clients !

Puis elle ouvrit la porte à la volée.

Pour se retrouver nez à nez avec son père.

7.

Seulement vêtu de son pantalon qu'il avait enfilé à la hâte en entendant Megan l'appeler, Simon descendit l'escalier. Il tirait déjà un billet de son portefeuille pour régler la pizza, mais s'arrêta net au milieu des marches à la vue de Spencer Ashton qui pénétrait dans la maison. Une lumière douce venue du plafonnier éclairait par-derrière l'homme et sa fille. La brise qui s'infiltrait par la porte encore entrouverte soulevait les cheveux de Megan. Elle lui parut pâle et mal à l'aise. Ses doigts lissaient avec nervosité les revers de son peignoir et jouaient avec le bout de sa ceinture.

— Que crois-tu être en train de faire ? demanda Spencer d'une voix sèche.

Simon descendit encore une marche. Mais Spencer ne parut pas le remarquer, et sans laisser à Megan le temps d'ouvrir la bouche, il enchaîna :

— Crois-tu réellement que je vais te permettre de me défier de cette manière ?

— Telle n'était pas mon intention.

Megan recula d'un grand pas et Simon se mit sur ses gardes. Tout son instinct protecteur venait de s'éveiller et se renforçait de plus en plus au fur et à mesure que Spencer continuait à parler en foudroyant sa fille du regard.

— J'attendais que tu reviennes à la raison, cria-t-il d'une voix frémissante de colère. Deux jours, Megan, deux jours ! Ça fait deux jours que j'attends, et tu n'es pas venue t'excuser !

— M'excuser ? répéta-t-elle.

— Et j'ai fini par comprendre que cela ne se produirait pas.

— Je suis heureuse que tu le comprennes, père, dit-elle en redressant le menton.

Elle repoussa d'un geste les cheveux qui lui barraient le visage et Simon se sentit traversé par un éclair de fierté. Même en peignoir de bain, son épouse avait l'air d'une reine.

— Bien au contraire, riposta Spencer avec une grimace. Tout ce que je comprends, c'est que ton mariage soudain n'est rien d'autre que l'acte de rébellion d'une enfant !

— *Une enfant ?*

Simon perçut l'écho de l'affront dans la voix de Megan

— Maintenant, tu vas m'écouter, Megan ! ordonna Spencer en secouant un doigt sous le nez de sa fille, tel un professeur grincheux. Je veux que tu fasses tes bagages. Je vais te ramener à la maison, mettre en marche la procédure d'annulation dès demain et, à la fin de la semaine, ce mariage sera oublié. Le sénateur Jackson me doit un service ou deux. Il pourra faire vite.

— Pour que je puisse épouser son fils, c'est ça ?

Les mains de Megan se crispèrent et retombèrent le long de ses flancs.

— Bien entendu. Exactement comme nous l'avions prévu.

Spencer consulta sa montre, l'air d'avoir déjà assez perdu de temps sur la question. Simon serra les dents. Aucun des deux Ashton n'avait remarqué qu'il les écoutait. Et, même s'il éprouvait une furieuse envie de se précipiter au bas de l'escalier et de courir au secours de Megan, il désirait aussi entendre ce qu'elle allait répondre. Allait-elle le sacrifier aux exigences de son père, ou honorerait-elle le pacte qu'ils avaient conclu ?

— Cela m'est impossible, dit-elle d'une voix qui se raffermissait à chaque mot. Non, je ne peux pas.

Son père la considéra, l'air aussi surpris que si son chien lui avait commandé tout à coup d'aller lui-même chercher son bâton.

— Je te demande pardon ?

— J'ai dit que je ne quitterais pas mon mari.

— Ton *mari* ? lança-t-il d'un ton méprisant. Tu ne connais même pas cet homme !

— Il y a six semaines que je le connais, père, rétorqua Megan.

Cette fois, au lieu de reculer encore, elle se rapprocha un peu plus de lui.

— Je l'ai rencontré au domaine quand je préparais…

Elle ne finit pas sa phrase, et Simon eut un sourire furtif. Forcément, elle ne pouvait pas avouer qu'ils avaient fait connaissance pendant qu'elle préparait son mariage avec une autre. Puis tout à coup, il comprit le sens des paroles qu'elle venait de prononcer. Ils se connaissaient bel et bien depuis six semaines. Il l'avait regardée faire son travail, équilibrant ses compétences entre son métier d'organisatrice et sa capacité à apaiser les tensions avec les autres dans n'importe quelle situation. Elle avait même pris sa défense à plusieurs occasions. Peu de gens pouvaient en dire autant. Oh oui, cette femme lui plaisait et même mieux, il la respectait. Il avait envie de lui crier des paroles d'encouragement, mais il s'en abstint pour ne pas la distraire.

— Je suis mariée, père, reprit Megan. Il va falloir que tu t'y fasses. Simon est mon époux et il va le rester.

C'était tout ce que Simon avait besoin d'entendre. Il s'éclaircit bruyamment la gorge et, comme les deux autres se retournaient vers lui, finit de descendre les marches d'un pas rapide. Après quoi, il adressa à Spencer un sourire figé.

— Très aimable à vous d'être passé nous voir, dit-il en se plaçant d'un geste délibéré à côté de Megan.

La respiration de Spencer se fit profonde et rapide et la rougeur de son visage s'accentua.

— Il ne s'agit pas d'une visite de courtoisie, s'écria-t-il d'une voix sèche.

— Alors pourquoi ne pas m'expliquer plus clairement ce que vous faites ici, dans *ma* maison, en train de crier sur *ma* femme ?

Simon passa un bras autour des épaules de Megan et l'attira contre lui. Elle se laissa aller, comme reconnaissante de son soutien.

— Votre femme ?

Spencer cracha presque les mots et, d'un geste qui écartait sa fille de la discussion, retourna sa fureur contre Simon.

— Je suis ici pour mettre fin à cette mascarade ! Megan est fiancée au fils d'un de mes vieux amis et j'ai l'intention de veiller à ce que ce mariage se fasse.

Simon se mit à rire. Il savait très bien que c'était la seule réaction capable de remettre à sa place ou de faire enrager son adversaire, mais, pour l'instant, il se fichait pas mal de l'effet produit. Il n'aimait pas Spencer Ashton. Il avait entendu suffisamment de rumeurs et de sous-entendus à son sujet au cours des dernières années pour se faire un point d'honneur de se débarrasser de lui. Les minutes qui venaient de s'écouler l'avaient convaincu que sa décision était la bonne.

— Puisque Megan est déjà mariée, je ne vois pas où se situe l'objet de votre visite. Vous perdez votre temps et le nôtre.

— Vous oubliez à qui vous êtes en train de vous frotter, Pearce ! éructa Spencer.

Son visage déjà rouge était maintenant écarlate de fureur. Une veine se mit à battre sur sa tempe, tandis qu'il jetait un coup d'œil à sa fille.

— Megan est ma fille. Elle fera ce qu'on lui dira. On va régler le problème.

— Juste une petite minute, père.

Megan ceintura d'un bras la taille de Simon comme si elle s'accrochait à un talisman.

— Je ferai ce qu'il me plaira. Je ne suis plus une gamine et tu ne diriges pas ma vie.

— Pardon ? s'étrangla Spencer.

Mais Megan ne se laissa pas intimider.

— Je t'ai dit que je ne voulais pas épouser Willie, reprit-elle. Maintenant, je suis mariée avec Simon. Tu ne peux plus rien y faire.

Par solidarité, Simon lui enlaça les épaules, puis son regard se déplaça du profil de pierre de son épouse vers l'homme qui le foudroyait toujours du regard.

— Vous avez votre réponse. Cela devrait mettre un terme à votre visite, dit-il. Je pense donc que vous devriez vous en aller.

Les sourcils de Spencer se haussèrent et, sous le choc, ses pupilles se dilatèrent.

— Vous me demandez de partir ?

— Non, corrigea Simon en s'efforçant de garder son sang-froid. Je vous *dis* de partir.

— Espèce de salaud, si vous croyez pouvoir...

— Père ! s'exclama Megan, exaspérée.

Simon la poussa derrière lui en espérant qu'elle y resterait. Non qu'il se préparât à flanquer son poing dans la figure du père de sa femme, mais, s'il était obligé de le faire, il préférait l'éloigner de la ligne de feu.

Au même moment, une voiture se gara devant la maison, une enseigne électrique rouge et blanche clignotant sur le toit. L'avertisseur résonna joyeusement.

— D'ailleurs, voici notre dîner, observa Simon.

Profitant de la surprise de Spencer, il fit un pas en avant et saisit l'homme par le coude pour l'entraîner vers la sortie. Mais l'autre ne se laissa pas détourner de son propos. Il libéra son bras, adressa à sa fille un regard de colère frustrée, avant de foudroyer de nouveau Simon d'un regard menaçant.

— Je n'en ai pas fini, dit-il d'une voix pleine de rage.

— C'est fini depuis longtemps.

Cette fois, Simon en avait assez. Il était tous les jours aux prises avec des hommes de pouvoir. Il était habitué à leur ego, à leur confiance en eux, et à leur morgue. Lui-même avait été plus d'une fois taxé d'arrogance. Il avait bâti Pearce Industries et avait transformé son affaire en un conglomérat qui valait des millions de dollars, grâce à sa faculté de dénouer certaines situations et à plier quand c'était nécessaire. Et jamais au grand jamais, au cours de toutes ses négociations, il n'avait joué avec l'idée de mettre son poing dans la figure d'un autre.

Jusqu'à aujourd'hui.

Mais voir les émotions bouleverser le regard de sa femme, entendre son père lui parler comme à une employée de dernière catégorie lui donnait envie de prendre l'homme par l'oreille et de le jeter dehors, séance tenante.

— Je vous suggère de rentrer chez vous, monsieur Ashton, dit-il d'une voix sans appel.

Il prit soin de baisser la voix pour que seul Spencer puisse l'entendre.

97

— Et ne vous hasardez plus jamais à entrer chez nous et à bousculer ma femme.

L'homme croisa son regard et le soutint pendant un long moment et, pendant tout ce temps, Simon se surprit alors à souhaiter que ce salaud lui envoie un coup de poing. Mais cela ne cadrait pas avec les habitudes de Spencer Ashton. Même furieux, il gardait une maîtrise parfaite, quelles que soient les émotions qui le parcouraient.

— Hé ho !

Derrière Spencer, le livreur de pizza dévalait l'étroit sentier de brique.

— Quelqu'un ici a demandé une pizza ?

— Oui, c'est nous, répondit Simon.

Puis, s'adressant à Spencer, il lui lança :

— Ai-je été assez clair ?

La mâchoire de l'homme remua comme s'il ruminait les paroles de colère qu'il désirait lui cracher au visage.

— Tout à fait clair, Pearce.

Simon eut un léger sourire.

— Et merci d'être passé.

— Super cool, la voiture ! s'écria le gamin en dévorant des yeux la voiture de sport de Spencer avec une expression d'envie.

— Otez-vous de mon chemin !

Dans sa fureur, Spencer renversa presque le garçon au passage. Surpris, le gamin, avec ses longs cheveux blonds et ses fossettes, écarta Spencer d'un coup d'épaule et tendit la pizza à Simon.

— Dix-huit quatre-vingt-quinze, dit-il. Pourboire non compris.

Simon lui donna vingt-cinq dollars et referma la porte sur les remerciements du gamin. Puis il se retourna vers

Megan et la regarda au fond des yeux, sans trop savoir quoi dire.

— Cette pizza sent bien bon ! fut tout ce qui lui vint à l'esprit.

Megan aspira une grande bouffée d'air et vida ses poumons d'un seul coup. Elle dévisagea Simon un long moment puis un grand sourire éclaira son visage.

— Mon héros !

Simon sentit son cœur se gonfler. Il aurait sans doute dû se mettre à rire car elle avait à l'évidence lancé les deux mots comme une boutade. Pourtant, ces deux seuls mots résonnèrent dans sa poitrine, puis dans son cœur, et l'illuminèrent. Il n'avait jamais été le héros de quiconque auparavant, et cela lui plaisait énormément.

— Votre père s'en remettra, Megan.

Elle secoua la tête, sans cesser de sourire.

— Non. Mais c'est sans importance. Plus maintenant. Je suis simplement heureuse que cette confrontation soit terminée. Je veux quand même que vous le sachiez, j'aurais pu gérer cela toute seule. Il y a des années que je le fais avec lui.

— Je sais.

Il l'avait vue se préparer à la discussion. Il l'avait vue dresser des défenses qu'elle avait sans doute passé toute sa vie à mettre en place. Il ne pouvait pas non plus expliquer pourquoi il s'était interposé. Il savait sans aucun doute possible que le besoin urgent qui lui avait imposé de courir défendre sa femme avait été la sensation la plus puissante qu'il ait jamais connue.

— Je ne pouvais pas rester comme ça et vous laisser prendre les coups pour un mariage qui a été mon idée dès le début…

Megan eut un petit rire.

— Vous ne m'avez quand même pas traînée par les cheveux jusqu'à l'autel. Comme je viens de le dire à mon père, je fais mes propres choix, Simon. Si je n'avais pas voulu vous épouser, je ne l'aurais pas fait.

Elle se rapprocha de lui. Malgré l'odeur puissante d'épices italiennes et de sauce tomate de la pizza, Simon inhala une brusque et pénétrante bouffée des sels de bains parfumés au jasmin qui s'attardait sur sa peau. Instantanément, son corps se durcit au souvenir de ce qu'ils avaient fait en haut pendant ces quelques minutes bien trop courtes à son goût, et il visualisa avec une sorte de volupté tout ce qu'il aimerait lui faire en cet instant précis.

— Je désirais juste venir à votre secours, prononça-t-il avec effort, d'une voix étranglée.

— Je sais, dit Megan.

Elle se rapprocha un peu plus et leva les yeux vers lui. De grands yeux verts au regard clair et aigu comme les premières herbes de l'été.

— C'est pourquoi je vous remercie, reprit-elle. Personne ne s'est jamais tenu à mes côtés comme vous l'avez fait. Cela m'a fait très plaisir.

Elle sourit encore et le cœur de Simon flancha. Comment, se demanda-t-il, un simple sourire pouvait-il posséder une telle force ?

— Je ne le laisserai pas — lui ou n'importe qui d'autre — affirma-t-il, la gorge nouée, vous parler de la sorte.

— Je le sais aussi, dit-elle en posant la main sur sa joue. Et cela me paraît vraiment… bon, d'avoir quelqu'un de mon côté. De n'être pas toute seule. Je n'avais pas exactement besoin de l'intervention de la cavalerie, mais j'ai été très heureuse, quand… vous êtes arrivé.

— Ah oui ?

— Oui.

Megan se dressa sur la pointe des pieds, plaqua sa bouche sur celle de Simon et l'embrassa. Son baiser fut intense et dura assez longtemps pour que les genoux de Simon commencent à flageoler et qu'un sang plus chaud se précipite dans ses veines. Puis Megan fit un pas en arrière, lui décocha un grand sourire et s'empara du carton qui contenait la pizza.

— Venez manger, mon héros !

Simon la suivit des yeux tandis qu'elle se dirigeait vers la cuisine. Son regard tomba sur sa chute de reins et il sentit tout son corps se raidir, presque douloureusement. Si elle avait besoin d'un héros, eh bien, il acceptait d'être celui-là. Même si cela l'obligeait à manger de la pizza au lieu de la dévorer, elle, toute crue.

Les jours suivants s'écoulèrent avec rapidité, et la fin de leur première semaine se profila à l'horizon. Les nerfs de Megan étaient déjà tendus à l'extrême. Elle ne dormait presque plus. Elle travaillait toute la journée au vignoble, et retrouvait le soir sa grande maison vide. Depuis le jour où ils avaient partagé le bain de mousse, celui aussi où elle avait affronté Spencer à ses côtés, son époux avait pris quelques distances.

On aurait dit qu'il regrettait l'équipe qu'ils avaient formée un bref instant, l'un à côté de l'autre. Peut-être regrettait-il aussi d'être devenu son héros passager ? Il travaillait tard également, et lorsqu'il rentrait chez lui et se glissait dans leur lit, il restait de son côté de la vaste couche. Cela mettait Megan encore plus au supplice que lorsqu'il l'avait rejointe en se glissant subrepticement près d'elle. Il était debout à l'aube, et quittait la maison avant même qu'elle ait pris sa douche.

Megan jeta un bref coup d'œil soucieux en direction de la porte d'entrée, puis s'éloigna, ses talons claquant sur le parquet ciré.

— Et maintenant, *ça* ! se dit-elle, l'estomac noué, l'esprit en déroute.

Elle avait réfléchi toute la journée à ce qu'elle avait vu, à ce qu'elle avait entendu et à ce qu'elle avait fait. Et maintenant, elle devait trouver un moyen de parler à Simon.

Dire qu'il s'était marié pour éviter un scandale et voilà que, par sa faute à elle, il devait en affronter un autre. Car, elle n'en doutait pas une seconde cette fois, les Ashton ne parviendraient pas à étouffer celui-là. Tôt ou tard, la nouvelle allait se répandre et les journaux en feraient leurs choux gras. Malgré tous les efforts de son père.

— Oh, mon Dieu !

Megan s'immobilisa, et se frictionna les tempes, dans une pitoyable tentative pour apaiser le mal de tête qui l'avait torturée tout l'après-midi. Mais impossible de s'en débarrasser. Exactement comme ne voulait pas s'effacer de sa mémoire le souvenir de l'impitoyable cruauté de sa propre mère.

— Megan ?

Au son de la voix de Simon, elle pivota sur elle-même et le suivit des yeux tandis qu'il entrait dans la maison, lâchait son attaché-case en cuir et se dirigeait vers elle.

— Quelque chose ne va pas ? demanda-t-il aussitôt.

— Hum, murmura-t-elle d'une voix sourde. Je suppose que je ne dois pas avoir l'air très frais.

— Pas tant que ça, dit-il avec un grand sourire. Racontez-moi.

Elle frissonna. Elle avait attendu Simon depuis ce qui lui avait paru une éternité, et maintenant que le moment de lui parler était venu, elle avait l'impression que sa gorge se nouait. Elle fit un effort pour surmonter son appréhension.

— Je ne sais même pas par où commencer, dit-elle.

Simon la prit par la main et l'entraîna vers le living-room, de l'autre côté du hall d'entrée. La vaste pièce était plongée dans l'obscurité. Simon appuya sur un bouton et une belle lumière dorée réchauffa la pièce, chassant les ombres. De grands canapés étaient disposés l'un en face de l'autre, de chaque côté d'une table basse. Dans un vase bleu cobalt s'épanouissait un bouquet d'œillets que Megan avait apporté la veille. Sans savoir pourquoi, le simple fait de le contempler aggrava son état. Elle libéra sa main de celle de Simon et recommença à faire les cent pas. Elle ressentait le besoin de bouger pour contenir le tourbillon de ses pensées.

— Bon sang, Megan, que se passe-t-il ? lui demanda-t-il d'une voix inquiète.

— Tout d'abord un scandale, lança-t-elle, incapable de trouver un autre moyen de présenter la chose.

— Que… ?

— J'y viens, dit-elle d'une voix précipitée. Aujourd'hui, une femme s'est présentée à la *Villa Ashton*. Elle s'appelle Anna Sheridan.

— Et ?

— Et, répéta Megan en cherchant encore à gagner du temps, elle est venue parler à ma mère. A propos de son neveu.

Simon fronça les sourcils.

— Du neveu de votre mère ?

— Non. Celui d'Anna.

— Donc, Anna a un neveu ?

— Je viens de vous le dire, s'énerva-t-elle.

Puis, elle leva une main.

— Désolée, désolée. C'est seulement que j'y ai pensé tout l'après-midi, et que j'avais tellement peur de vous l'annoncer, tout en désirant en même temps me débarrasser de ce poids… Et maintenant que vous êtes là, je tourne autour du pot sans pouvoir sortir un traître mot de cette histoire. C'est tout à fait stupide de ma part mais je ne peux pas m'en empêcher…

A bout de souffle, elle s'interrompit, et posa une main sur sa poitrine où son cœur battait la chamade. Enfin, après avoir aspiré une ou deux bouffées d'air, elle se rapprocha de Simon et planta son regard dans le sien.

— Megan, par le diable, qu'est-ce qui ne va pas ? s'écria Simon en la prenant par les épaules.

A la minute même où il fut tout près d'elle, Megan ressentit la tiède douceur de ses mains se propager jusqu'à ce qu'elle croyait être les profondeurs glacées de son âme. Elle y puisa chaleur et réconfort et hocha la tête.

— J'y viens. Même si je ne m'y prends pas très bien. Voilà… le neveu d'Anna Sheridan. Jack. Un bébé encore. Pas tout à fait deux ans. Elle avait apporté une photo. Un joli petit. Des cheveux roux. Des yeux verts. Un adorable sourire…

Les lèvres de Simon esquissèrent une grimace ironique.

— Et alors ? Vous détestez les gosses ? La photo a réveillé en vous un vieux traumatisme d'enfance ?

—Non, non. Rien de tout cela.

Il plaisantait, songea-t-elle. Il essayait d'être gentil. Oh, Seigneur ! Elle leva les yeux vers lui pour observer son expression.

— Le petit Jack est mon demi-frère.

— Quoi ?

— Mon *père*…

Megan prononça le mot avec toute l'amertume dont elle avait été emplie durant l'après-midi.

— Mon père avait une liaison. Pour être plus exacte, je devrais sans doute dire une *autre* liaison. Enfin, quoi qu'il en soit, il a eu une relation avec Alyssa, la sœur d'Anna. Alyssa est morte après l'accouchement et Anna élève Jack… le fils de mon père.

— Non ?! souffla Simon.

— Voilà qui résume la situation.

Megan s'écarta de lui. Elle se passa une main dans les cheveux et se détourna pour fixer l'obscurité à travers la baie. Mais tout ce qu'elle put apercevoir dans la vitre fut son propre reflet et Simon, debout derrière elle. Etait-il en train de se demander s'il aurait dû en épouser une autre ? Sans doute. Qui aurait pu vraiment l'en blâmer ?

— Quoi qu'il en soit, poursuivit-elle, Anna est venue à la propriété à la recherche de… En fait, j'ignore quoi au juste. De l'argent ? De l'aide ? Une reconnaissance ?

— Que s'est-il passé, alors ?

— A peu près ce à quoi on aurait pu s'attendre.

Elle poussa un soupir et les doigts humides et glacés de la honte se tendirent de nouveau vers elle au souvenir de ce qui s'était passé.

— Père n'était pas à la maison. Mais ma mère y était.

— Et alors ?

Megan contempla le visage de Simon dans la vitre. D'une certaine manière, il lui paraissait plus facile de parler à son reflet que de se retourner et de le regarder en face.

— Alors ma mère l'a pratiquement jetée dehors. Oh, Dieu !

Elle ferma les yeux, soudain incapable de fixer même l'image de Simon. En revanche, sous ses paupières closes, elle retrouva aussitôt le visage de sa mère. Elle revit l'expression dure qui s'était inscrite sur ses traits fermés et sa voix sifflante résonna de nouveau à ses oreilles. Depuis longtemps, Megan savait que sa mère n'était pas un modèle de chaleur. Mais la voir ainsi… entendre son intonation glaciale…

Elle avait renvoyé Anna Sheridan et, avait-elle dit, *son enfant bâtard*. Elle avait prévenu Anna qu'au cas où elle tenterait de revenir à la *Villa Ashton*, elle la ferait accuser de tentative d'extorsion de fonds.

— Je ne sais pas quoi dire, observa Simon, effaré.

Les bras croisés sur sa poitrine, elle se força à se retourner et à faire face à son mari.

— D'abord, je n'ai pas pu penser à autre chose qu'au scandale que cela allait provoquer. Et à vous : vous m'avez épousée pour éviter un scandale dans votre famille, vos affaires, et…

— C'est la vie, Megan, l'interrompit-il. Les scandales passent.

Elle le considéra avec de grands yeux.

— Ce n'est pas ce que vous disiez il y a une semaine.

Il haussa les épaules.

— Je deviens adulte, sans doute.

Megan eut un rire bref et secoua la tête.

— Super ! Peut-être que les scandales provoqués par mon père ne rejailliront pas sur vous. C'est du moins tout ce qu'on peut espérer.

— Il y a autre chose, Megan. Quelque chose qui vous tracasse plus que le souci relatif aux délires des tabloïds.

— Oui, reconnut-elle.

Elle croisa son regard gris. Elle s'était torturée toute la journée à ce propos et, maintenant, elle avait de la peine à trouver ses mots. Pourtant, il fallait continuer.

— Simon, j'ai vu ma mère renvoyer cette femme et je n'ai pas pu le supporter. Non, je n'ai pas pu. Mère n'a jamais été ce que vous pourriez appeler une personne chaleureuse, sans que j'aie pu pour autant la considérer comme quelqu'un de complètement glacial non plus. Mais aujourd'hui…

Elle secoua la tête et avala sa salive avec peine.

— Quelque chose en moi a été absolument terrifié à l'idée que je puisse lui ressembler. Qu'un jour, en me réveillant, je constate que ma voix soit devenue exactement comme la sienne. Que je sois enveloppée par la glace et que, étant sa fille, je sois moi aussi capable d'une telle cruauté.

— Ce n'est pas vrai !

Le rire de Megan résonna comme un sanglot.

— Vous l'avez dit trop vite. Vous ne le pensiez pas.

— Je n'en ai eu aucun besoin.

Comme elle aurait voulu le croire ! se désespéra Megan. Mais, si une personne pouvait hériter de la couleur des yeux ou des cheveux de ses parents, ne pouvait-elle aussi hériter de son cœur glacé ? Ou d'une âme vide ?

— J'espère que vous avez raison, dit-elle avec un petit sourire triste. Seulement, à cause de mes propres peurs, j'ai rattrapé Anna à l'extérieur, et lui ai dit d'aller trouver Caroline Sheppard pour qu'elle l'aide.

Elle eut un rire encore plus triste.

— Si une femme a jamais été capable de venir en aide à une autre en raison de la cruauté de mon père, ce ne peut être que Caroline.

Simon la regarda d'un air perplexe.

— Je ne vous suis pas, Megan.

— Cela n'a rien d'étonnant. Caroline a été mariée à mon père. A l'origine, le vignoble appartenait à sa famille. Puis mon père a divorcé d'elle pour épouser ma mère et…

Elle leva les deux mains et, de nouveau, les laissa retomber le long de ses flancs.

— Maintenant, Caroline est mariée à Lucas Sheppard…

— Et ils dirigent le Domaine de Louret, acheva Simon.

— Exact, reconnut Megan. L'ennemi mortel du Vignoble Ashton.

Elle soupira et secoua la tête.

— Ça ressemble à s'y méprendre à un feuilleton à l'eau de rose, vous ne trouvez pas ? demanda-t-elle avec un petit rire forcé.

Simon fit quelques pas vers elle et, de nouveau, lui frictionna le haut des bras comme pour l'empêcher d'avoir froid.

— La famille, c'est compliqué, dit-il.

— Et certaines plus que les autres !

— Ce que vous avez fait pour Anna…

Il baissa la tête vers elle jusqu'au moment où il put plonger au fond de ses yeux.

— C'était très gentil, Megan.

Elle secoua la tête.

— Peut-être bien. J'espère que Caroline pourra lui venir en aide. Mais le fin mot de l'histoire, c'est que je ne suis même pas certaine d'avoir agi ainsi parce que c'était la meilleure chose à faire ou bien pour essayer de me convaincre que j'étais meilleure que ma mère. Je ne sais pas… Je suis cependant certaine d'une chose : ce que j'ai fait n'était pas suffisant. Ce petit garçon est le fils de mon père, bon sang !

— Vous lui avez donné plus que ne l'a fait votre mère.

— Oui, et maintenant, en récompense, j'ai le sentiment d'avoir trahi ma famille.

Sans parler de la réaction de Spencer quand il apprendrait que Megan s'était mêlée de ses affaires… Elle préférait ne même pas y penser. D'un autre côté, songea-t-elle, puisque son père lui battait froid, peut-être n'entendrait-elle ainsi plus du tout parler de lui ?

— Oh, quel gâchis ! murmura-t-elle.

Elle posa le front contre la poitrine de Simon. Alors, il l'enveloppa de ses bras et la tint serrée contre lui.

Au cours des derniers jours, il était resté loin d'elle, conscient d'être sur le fil du rasoir et de risquer de perdre sa maîtrise de lui-même. Pourtant ce soir, il tenait Megan contre lui avec le seul désir de la réconforter. La pensée de la prendre, de se glisser en elle, de l'embrasser, de déguster chaque centimètre de sa peau se dissolvait et se transformait en quelque chose de plus tendre, de plus attentif. Son cœur souffrait pour elle.

Car mieux que quiconque, il savait ce que l'on ressent d'être déchiré entre ce que l'on considère comme son devoir et ce que l'on sait être juste. Lui-même avait fait son devoir envers sa famille depuis la mort de son père, lorsqu'il avait à peine dix-sept ans. Il avait eu la chance de vraiment apprécier son métier, mais, même s'il l'avait détesté, il aurait persévéré. Il comprenait qu'on soit loyal envers sa famille. Il savait ce qu'il avait dû en coûter à Megan de prendre le risque d'être rejetée par ceux qu'elle aimait en accomplissant ce qu'elle considérait comme juste. Et pour cela, il se sentait particulièrement fier d'elle.

— Eh bien, dit-il, avec la sensation agréable du corps de Megan pressé contre le sien, vous avez eu une abominable journée.

Elle poussa un profond soupir, sans même lever la tête.

— Vous avez bien agi, Megan.

— Je l'espère.

Elle resta un long moment silencieuse avant d'ajouter :

— Que se passera-t-il si je ressemble à ma mère, Simon ?

Sa voix n'était qu'un murmure et les mots lui parvinrent à peine à cause du tumulte de son propre cœur.

— Que se passera-t-il si je suis froide à l'intérieur de moi-même ? Si je suis insensible ?

Alors, Simon l'empoigna par les épaules et l'écarta un peu de lui pour la regarder bien au fond des yeux.

— Vous êtes la femme la plus chaleureuse que j'aie jamais rencontrée. Têtue certes, parfois agaçante, ajouta-t-il avec un demi-sourire, mais chaleureuse.

— Agaçante ? répéta-t-elle.

— Le mot me paraît juste, répondit-il avec un petit sourire.

Mais, devant son air inquiet, il enchaîna.

— Vous avez bien agi, Megan. Comme toujours. Vous faites toujours ce qu'il faut. Vous devriez faire davantage confiance à votre instinct.

Elle leva les yeux vers lui et Simon ressentit comme un choc l'intensité de son regard vert. Il y lut l'espoir qui y palpitait — et quelque chose d'autre également. Comme un éclair de chaleur, de désir... D'un seul coup, la vie revint dans son corps.

— Faire confiance à mon instinct ? répéta Megan d'une voix plus enjouée.

— Il est excellent, affirma-t-il en repoussant d'un geste tendre les cheveux qui lui barraient le visage.

Ses cheveux étaient doux et épais, et sa peau lisse et tiède comme du verre chauffé au soleil. Alors il la désira plus qu'il n'avait jamais désiré qui que ce soit d'autre dans sa vie.

— Dans ce cas, je crois que je vais faire confiance à mon instinct. Tout de suite...

Elle se lova contre lui, se haussa sur la pointe des pieds et, les bras noués autour du cou de Simon, lui donna un baiser, si long, si brûlant, si profond qu'il aurait pu jurer qu'elle venait d'allumer en lui un incendie que rien au monde ne pourrait jamais éteindre.

8.

La semaine n'était pas encore officiellement terminée et Megan n'aurait pas pu moins s'en soucier. Les bras autour du cou de Simon, elle l'embrassa comme une affamée avec une sorte d'énergie du désespoir. Tout ce qu'elle portait en elle passa dans ce baiser. Son cœur et son âme, sa faim et son besoin de lui, elle lui fit comprendre sans aucune parole à quel point elle le désirait. A quel point elle avait besoin de lui. Mais après quelques instants, elle se rendit compte qu'il ne réagissait pas. Il ne s'était pas emparé d'elle. Il ne lui avait pas rendu son baiser. En fait, il se tenait raide et immobile, comme une statue de cire.

Perplexe, Megan rejeta la tête en arrière pour le regarder. Dans la clarté dorée de la lampe, les prunelles grises paraissaient plus sombres, dangereuses. L'instant d'avant, elle avait eu la sensation que son sang coulait plus vite dans ses veines, et que certaines parties de son corps, négligées depuis plus d'un an, reprenaient vie. Mais à présent, elle avait l'impression que les battements de son cœur faiblissaient.

Quelque chose se noua dans l'estomac de la jeune femme. Son souffle se fit plus saccadé. Mais Simon, par-dessus sa tête, fixait le mur derrière elle, les traits tendus.

— Simon, essaya-t-elle de plaisanter, vous êtes toujours là, avec moi ?

111

Simon avala péniblement sa salive et baissa lentement les yeux vers elle. Ils semblaient sur le point de lancer des éclairs. Mais il ne répondit pas. Il ne fit aucun geste pour la toucher.

— Vous savez, dit-elle sans le quitter du regard, ce baiser était exquis. Dommage que vous l'ayez raté !

— Je n'ai rien raté du tout, vous pouvez me faire confiance.

La tête penchée de côté, Megan resserra l'étreinte de ses bras autour du cou de Simon.

— Ah bon ? Alors pourquoi ne pas vous joindre à moi ? Un baiser est toujours bien plus amusant quand on le partage.

Simon prit une rapide et profonde bouffée d'air. A travers sa chemise blanche, Megan entendit battre violemment son cœur.

— Nous ne sommes pas encore à la fin de la semaine, remarqua-t-il entre ses dents serrées.

— Quoi ?

Elle avait très bien entendu, mais n'arrivait pas à le croire.

— J'ai dit que la semaine n'était pas finie. Pas avant demain.

Un muscle joua dans sa mâchoire contractée.

— Nous avons fait un marché, rappela-t-il d'un air sombre mais déterminé.

Megan ne put s'empêcher d'apprécier son honnêteté. C'était génial de savoir qu'un homme était capable de tenir parole. Mais en même temps…

Elle lui passa une main dans les cheveux et ses ongles glissèrent sur son crâne. Quand il ferma les yeux et serra plus fort les dents, elle sourit pour elle seule.

— Oui, mais voilà, murmura-t-elle en déposant une ligne de petits baisers le long de ses lèvres entre chaque mot, je… ne… veux… pas… attendre.

Il poussa un grognement. Un véritable grognement, et quelque chose en Megan remonta à la surface, se déploya et supplia. Jamais elle n'avait autant désiré quelqu'un comme elle désirait Simon Pearce en ce moment précis. Cet homme grand et fort, et sûr de lui, n'était pas le plus facile à connaître, mais elle en savait suffisamment à son sujet. Il était honorable. Un mot désuet, mais à son avis parfait pour lui. Et puis, il n'avait pas peur de Spencer. Encore un bon point. Il ne la méprisait pas sous prétexte qu'elle était une femme, et semblait même au contraire tout à fait ravi de discuter avec elle. Ce qui ne l'empêchait pas de lui lancer des regards admiratifs. Enfin, ce qui ne gâchait rien, bien au contraire, il était capable de lui prodiguer des caresses qui lui faisaient perdre la tête, et les sens…

— Megan, dit-il d'une voix aussi tendue, vous avez eu une sale journée. Vous êtes bouleversée, vous êtes vulnérable.

— Simon…

Megan poussa un soupir et son souffle caressa le cou de Simon. Il ne put réprimer un frisson, et elle se mit à sourire.

— Cessez donc d'être aussi *raisonnable*, dit-elle.

Elle leva les yeux vers lui. Leurs regards se croisèrent et elle vit des flammes s'allumer dans celui de Simon. Des flammes qui embrasèrent à leur tour chaque parcelle de son propre corps.

— Vous êtes sûre de ce que vous voulez ? demanda-t-il d'une voix rauque.

Megan secoua la tête en souriant.

— Si j'en deviens un peu plus certaine encore, je vais déclencher officiellement l'offensive.

— Parfait.

Simon pencha la tête, s'empara de sa bouche et lui rendit au centuple tout ce qu'elle lui avait donné un instant auparavant. Aussitôt, Megan se trouva comme transportée dans le fleuve bouillonnant d'une passion telle qu'elle n'en avait jamais connu. Les bras de Simon l'entourèrent, et l'étreignirent si étroitement qu'elle craignit de ne plus pouvoir respirer — même si une part d'elle-même n'en avait cure aussi longtemps qu'il l'embrasserait ainsi. Rien en effet ne lui importait plus que la bouche de Simon sur la sienne, le corps de Simon plaqué contre le sien, la faim qui l'envahissait toute. Une semaine seulement auparavant, elle n'aurait jamais cru ressentir de telles sensations. Une semaine auparavant, Simon n'était pour elle qu'un presque inconnu, qui s'était présenté comme une solution inespérée au problème Willie Jackson. Mais en une semaine, tout avait changé.

Ce soir, il était tellement plus que cela ! Il s'était tenu à ses côtés pour former avec elle une véritable équipe. Il l'avait réconfortée, il avait ri avec elle, il l'avait taquinée. Il était en permanence dans ses pensées et chaque nuit dans ses rêves.

Megan sentit les mains de Simon descendre et remonter le long de son dos, la tenir, la toucher, l'explorer. La seule chose à laquelle elle était capable de penser maintenant était son désir de garder ses mains sur sa peau. Elle voulait sa chaleur, l'empreinte de chacun de ses doigts sur sa peau tandis qu'il la caressait et entraînait son corps vers des cimes vertigineuses.

Les lèvres de Simon s'arrachèrent soudain des siennes et il posa la tête dans le creux de son cou. Sa bouche, ses dents, ses lèvres se mouvaient sur sa gorge et faisaient naître des frissons tout le long de sa colonne vertébrale.

— Simon…

— On ne dit plus rien, murmura-t-il contre son cou. On ressent, c'est tout.

— D'accord, dit-elle en hochant la tête. Je ressens et je veux ressentir davantage encore.

— Bien. Très bien.

La bouche de Simon descendit un peu plus bas et se nicha contre le pouls qui battait à la base de son cou. Megan pencha un peu la tête de côté, dans l'espoir qu'il s'y attarderait, au moins une minute ou deux… peut-être pour toujours ! Car sa bouche faisait des merveilles.

— Oh, comme je te désire…

Les mots parvinrent à Megan dans un souffle, tant il luttait contre son besoin d'elle.

— Moi aussi, je te désire, murmura-t-elle.

Les mains de Simon ne cessaient de parcourir son dos, de haut en bas, de bas en haut. Si seulement, songea Megan, il suffisait d'un simple clin d'œil pour que ses vêtements s'envolent.

— Maintenant, dit Simon.

— Oh oui, souffla-t-elle.

Son esprit sombra dans l'oubli. Elle n'était plus capable de penser désormais, et ne le voulait même plus. Tout ce qu'elle désirait, c'était lui.

— Maintenant, répéta-t-elle.

Les mains de Simon vinrent se glisser entre leurs deux corps. La tête toujours au creux de son cou, il eut vite fait un sort à la rangée de boutons sur sa blouse de soie verte.

— Plus vite, dit-elle, stupéfaite de constater le feu qui l'embrasait.

Il leur fit plaisir à tous deux en tirant d'une secousse les pans de sa blouse. Puis il fit glisser les manches sur les épaules de Megan et le long de ses bras. Seul demeura entre elle et les mains de Simon le soutien-gorge de Megan. Il s'en débarrassa aussi avec rapidité et, l'instant d'après, ses mains s'emparaient de ses seins. Du pouce et de l'index, il titilla, taquina ses mamelons, ce qui déclencha une chaîne de réactions si intenses que Megan crut qu'elle allait défaillir.

— Ta bouche, l'encouragea-t-elle d'une voix étranglée. Je veux sentir ta bouche sur moi.

— Oui, gronda-t-il, du fond de sa gorge nouée.

Simon se débattit contre la brume de passion qui obscurcissait en lui toute pensée, excepté son désir. Il ne pouvait songer à rien d'autre qu'à prendre cette femme. Son esprit n'avait d'ailleurs été occupé par rien d'autre depuis des jours qui lui avaient paru des années. Toutes les nuits, elle était allongée à côté de lui à portée de ses bras, toujours intouchable. Chaque jour, il tentait de ne penser qu'à son travail, la seule chose sur laquelle il avait centré toute sa vie. Et maintenant, Megan était là, avec lui à chaque instant, à chaque heure. Penser à elle le mettait en furie, le torturait. Le matin même, il s'était justement rassuré en se disant que tout cela serait terminé le lendemain. Cette seule fois où ils feraient l'amour ensemble. Cette fois où il aurait enfin le droit de se perdre en elle, de savourer tout ce qu'elle était et tout ce qu'il y avait en elle de promesses. Alors, il serait satisfait. Alors, son univers retrouverait ses marques et tout redeviendrait comme avant.

Pourtant, en cet instant où elle était entre ses bras, où elle soupirait et où ses mains affamées ne faisaient qu'attiser son désir, il n'était pas encore satisfait. Il se laissa tomber à genoux devant elle et ses mains descendirent le long du corps de Megan. Il atteignit la ceinture de la jupe, baissa la fermeture à glissière et la fit descendre sur ses jambes, entraînant avec elle son slip, une minuscule pièce de dentelle noire. Enfin elle se dressa devant lui, nue et offerte et tout aussi affamée d'amour que lui. Ses genoux tremblaient et Simon la saisit, les mains sur sa croupe pour la soutenir avant de lui entrouvrir les jambes avec délicatesse, avec douceur, malgré le désir qui le pressait.

— Simon, dit-elle, je veux…

— Moi aussi, l'interrompit-il à voix basse. Je te veux, toi.

Il se pencha et recouvrit de sa bouche le centre de sa féminité. Il la goûta et Megan vacilla en poussant une exclamation étouffée. La langue de Simon taquina, titilla le petit bout de chair si sensible.

— Simon !

Les mains de Megan se refermèrent sur les cheveux de son mari. Penchée vers lui, elle le retint comme si elle avait peur qu'il ne s'arrête. Mais il en était incapable. Il ne le voulait pas. En tout cas pas avant qu'elle ne cède, pas avant qu'il ait goûté son plaisir. Encore et encore, sa langue se promena sur la chair tiède et, à chaque caresse, l'entraîna plus loin, plus vite. Simon crispa les mains sur les reins de Megan. Les supplications étouffées, semblables à des sanglots l'encouragèrent à accélérer sa caresse jusqu'au moment où elle cria son nom et tituba violemment sous son étreinte. Alors, tandis que les derniers spasmes du plaisir la faisaient encore trembler, il la coucha sur le sol. Le doux tapis oriental les accueillit ensemble comme une couche. Megan resta là, comblée, les yeux levés vers lui et le regarda arracher ses propres vêtements puis s'allonger sur elle.

— Simon, murmura-t-elle, c'était…

Elle lui sourit et eut un faible geste des deux mains, comme si elle ne trouvait pas les mots.

— Ce n'était qu'un début, promit-il.

Il lui entrouvrit les cuisses, se cala entre ses jambes et se glissa dans sa chaleur humide avec un râle de satisfaction. Le corps de Megan se referma autour de lui, et Simon sentit sa vision s'obscurcir. Megan lui prit le visage entre ses mains et l'attira vers elle pour l'embrasser. Ses lèvres s'écartèrent et sa langue chercha celle de Simon, dansa avec elle dans une intimité qui mimait les mouvements de ce corps qui sans cesse pénétrait en elle et se retirait, encore et encore.

L'urgence du désir qui émanait d'elle saisit Simon à la gorge. Il se délecta de la sauvage satisfaction d'être en elle, de l'atteindre au plus profond de sa chair. Soudain, il mit fin à leur baiser et plongea son regard dans les profondeurs des yeux verts et s'y perdit. Les mains de Megan grimpaient et descendaient le long de son dos. Ses jambes se soulevèrent et ses hanches se balancèrent, accompagnant la cadence qu'il lui imposait sur un rythme lancinant. Quand il sentit que les digues de la passion étaient sur le point de céder, il resserra encore son étreinte, et à l'unisson, ils se laissèrent emporter au cœur du plaisir.

Megan avait mal au dos, des crampes dans les jambes, mais, à aucun prix, elle n'aurait voulu que Simon desserre son étreinte. Plutôt mourir que de renoncer au contact de ce corps qui lui avait procuré le plus intense des plaisirs.

Elle sentit soudain qu'il remuait, comme pour se libérer, mais elle tint bon avec une exclamation sourde.

— Non, l'avertit-elle, ne bouge pas.

D'un bras, elle l'enlaça et le retint en elle avec force. Simon eut un petit rire.

— Si je ne le fais pas, je vais t'écraser, dit-il.

— Je suis bien plus solide qu'il n'y paraît…

Elle ferma les yeux pour mieux goûter la sensation du corps de Simon qui de nouveau se mouvait en elle.

Il s'appuya sur les coudes et baissa les yeux vers son visage.

— Tu ne préférerais pas monter ? demanda-t-il.

Un demi-sourire lui incurva les lèvres.

— Tu sais ? insista Simon. Dans un vrai lit.

— Mmm…

Megan fit onduler un peu ses hanches et faillit sourire elle-même en le sentant si tiraillé par le désir. C'était si bon de savoir qu'elle n'était pas la seule à avoir le feu.

— Plus tard, dit-elle.

— Bien.

Il ponctua ce seul mot d'un long et lent baiser, auquel il mit un terme en lui mordillant la lèvre.

— C'était réellement extraordinaire, Simon, reprit Megan lorsqu'il eut libéré sa bouche. Je dis bien *extraordinaire*…

— Oui, admit-il, ça résume à peu près la chose.

Megan se sentait détendue, et libre. Elle avait l'impression que son corps chantait, que son esprit était au point mort, et pour l'instant, c'était exactement ce qu'elle désirait.

— Tu penses qu'on pourrait recommencer ? demanda-t-elle.

Il sourit.

— Me lancerais-tu un défi ?

— Le ressens-tu comme une obligation ? demanda-t-elle avec un petit sourire coquin.

Elle recommença à onduler des hanches, et fit glisser sa main le long du corps de Simon pour lui caresser le bas des reins. Il aspira une brusque bouffée d'air et son corps se plaqua durement contre celui de Megan.

— Pas du tout, répondit-il.

— Oooh !

Megan se cramponna à lui et l'entraîna sur le côté jusqu'à se retrouver sur lui, leurs deux corps restant liés l'un à l'autre, malgré la rapidité du mouvement. C'était maintenant Megan qui dominait la situation. Les mains de Simon, merveilleuses et si adroites, se déplaçaient sur ses seins, les malaxaient, les emprisonnaient, les caressaient. Megan se redressa, dos cambré, et sentit son sexe dur et puissant se dresser en elle, se pousser plus haut, plus loin comme s'il allait atteindre son âme. Simon poussa un râle, et elle ouvrit les yeux pour l'observer pendant qu'il la prenait. Sa puissance l'emplissait toute, telle une drogue ô combien délicieuse et grisante ! Elle se mit à bouger au-dessus de lui, et à se balancer d'avant en arrière, avant de faire pivoter ses hanches dans un mouvement circulaire long et paresseux qui déclencha en elle des sensation inouïes. Simon réagit lui aussi, et ses hanches se soulevèrent, s'arc-boutèrent, avec le désir fou de se pousser plus loin, encore plus loin, tout au fond de sa chair.

— Megan…

Simon referma les mains sur ses seins et accéléra le rythme de ses caresses, tandis que Megan faisait naître en lui, par des mouvements terriblement experts, les sensations les plus enivrantes qu'il ait jamais connues. Elle était en train de lui faire l'amour, sans compromis, presque autoritaire, et il en éprouvait le plus grand des plaisirs. Les ondulations de Megan le transportaient, le rendaient comme fou, et il sentit qu'il n'allait pas pouvoir garder le contrôle de lui-même très longtemps...

— Assez ! murmura-t-il.

Il tenta de bouger, de la renverser sur le tapis pour pouvoir se coucher sur elle et lui imposer sa cadence.

— Ce n'est pas fini, protesta Megan.

Les bras levés au-dessus de la tête, elle se balança au-dessus de lui.

— Laisse-moi faire, Simon. Laisse-moi te prendre à mon tour.

— Tu me tues, Megan, articula-t-il avec difficulté.

Elle secoua la tête et, un sourire énigmatique aux lèvres, le chevaucha de nouveau. Son corps se soulevait et s'abaissait tour à tour. Un instant, elle le prenait au plus profond d'elle-même, puis elle le relâchait en une longue danse langoureuse. Soudain, le corps de Megan se tendit, envahi par une onde de plaisir inouïe. Chaque seconde qui s'écoulait lui parut exquise, à couper le souffle. Les sensations se précipitaient en elle maintenant et, à chaque mouvement, la volupté l'emportait davantage.

— Simon ! chuchota-t-elle, sans ralentir le rythme un seul instant de sa danse érotique au-dessus de lui. Simon, je sens...

— Moi aussi, murmura-t-il.

Sa voix parvint à Megan comme un soupir dans le rugissement de son propre sang à l'intérieur de ses oreilles.

Tout en suivant le mouvement qu'elle lui imprimait, Simon se mit à la caresser avec art, jusqu'à ce qu'elle perde complètement le contrôle de ses sens. Haletante, elle lutta pour trouver de l'oxygène, lutta pour retenir encore un peu la montée irrésistible de la tension dans son corps. Elle désirait s'abandonner à l'orgasme et, en même temps, refusait de voir se terminer ce moment intense et magique.

Rester dans cette position pour l'éternité — maintenir cet instant unique et exquis juste avant l'explosion de ses sens qui se rapprochait de plus en plus.

Le corps de Simon se raidit soudain sous elle, et elle l'entendit crier son nom, tandis qu'elle se laissait submerger par la vague de plaisir, un bouquet d'étoiles éclatant derrière ses paupières closes.

Deux heures plus tard, ils étaient encore allongés sur leur immense lit. Les restes d'un repas hâtivement préparé étaient éparpillés sur les draps, et une bouteille de vin à moitié pleine passait de l'un à l'autre. Megan posa la bouche sur le goulot de la bouteille et, tête renversée, but une longue rasade du liquide à la fois âpre et velouté. Puis, avec un sourire ironique, elle prononça de la voix la plus empruntée qu'il lui fut possible d'adopter :

— Un vin insolent, qui possède la grâce de la maturité avec à peine une très légère pointe d'adolescence.

Simon la regarda avec une petite grimace, et lui prit la bouteille des mains.

— Apre, et pourtant doux. Fier mais pas trop.

Megan hocha la tête.

— Pas mal. Tu as appris à goûter les vins ?

— Un peu, admit-il.

Il s'adossa aux oreillers empilés contre la tête de lit sculptée, un genou replié, le bras posé dessus.

— Pas de façon aussi désinvolte que celle-ci, ajouta-t-il.

— Désinvolte ? répéta Megan.

Incapable de rester loin de lui, elle rampa à travers le matelas jusqu'au moment où elle se retrouva tout près de lui. Elle avait besoin de le toucher, de laisser ses doigts glisser

122

le long de sa peau, de passer la main à la surface de son corps et de le sentir se durcir encore une fois sous ses doigts. Elle parvint enfin à se blottir contre son torse musclé, avec l'impression de fondre jusqu'à la pointe des pieds. Jamais elle ne s'était sentie aussi vidée par la jouissance — avec un tel besoin de recevoir davantage encore.

Simon pressa la paume de sa main sur le bas du dos de Megan, et commença à la caresser doucement. Megan ondula sous sa main, prête à ronronner telle une chatte alanguie. Franchement, songea-t-elle, qui aurait jamais dit que le grave et compassé Simon Pearce possédait tant de talents cachés ? En réalité, l'homme était un véritable magicien. Ce soir, il avait fait à son corps des choses auxquelles elle n'avait jamais rêvé. Il l'avait prise comme jamais elle ne l'avait été auparavant et…oui, elle le désirait encore. Elle eut l'impression que son cœur chavirait dans sa poitrine. Elle voulait plus encore : qu'il la désire, lui aussi.

— Si nous continuons à ce rythme, observa Simon pendant que ses doigts lui caressaient langoureusement les fesses, nous allons nous tuer.

Megan n'avait aucune envie de bouger. Aucune intention de l'inciter à cesser de la toucher. Elle lui jeta cependant un coup d'œil par-dessus son épaule.

— Il y a de pires façons de mourir…, remarqua-t-elle.

— Très juste !

Ses yeux avaient foncé. Dans la pâle lueur dispensée par la lampe posée sur la table de nuit, Megan put voir les traits de Simon se tendre. Elle vit sa faim d'elle monter dans ses yeux et elle avala sa salive avec difficulté. Oh, songea-t-elle, elle n'avait vraiment eu aucune idée de ce qui l'attendait lorsqu'elle avait accepté un mariage temporaire avec Simon Pearce. Et si elle l'avait su ? s'interrogea-t-elle.

— Il faut que je te prenne encore, chuchota Simon dont la voix résonna comme un doux feulement dans la pénombre.

Sa main se faufila entre les jambes de Megan et ses doigts fouillèrent sa chaleur. Paupières closes, Megan entrouvrit les cuisses pour lui puis se concentra sur les sensations intenses qui de nouveau s'emparaient d'elle.

Si elle avait su ? Eh bien, elle n'aurait même pas attendu une semaine, conclut-elle avant de s'abandonner.

9.

— Je me fiche pas mal que Peabody Corporation se retire du marché ! s'écria Simon, en se renversant en arrière sur son fauteuil.

Dave Healy secoua la tête, cligna des yeux puis se pencha vers son patron une main derrière l'oreille en disant :

— Excuse-moi. Voudrais-tu répéter ?

Simon lui adressa un sourire ironique.

— Tu m'as très bien entendu, Dave ! Si le vieux bonhomme souhaite se retirer, c'est son affaire. Laisse-le dénicher quelqu'un d'autre susceptible de tomber d'accord avec lui sur l'idée périmée qu'il se fait de la manière de monter une société.

Un soleil matinal pénétrait dans la pièce par la rangée de fenêtres derrière le bureau de Simon et dessinait de grands rais de lumière sur la moquette gris acier. Dave Healy se tenait debout dans un de ces grands espaces dorés. Entre ses mains, une large enveloppe en papier kraft.

— Je n'aurais jamais imaginé t'entendre parler ainsi un jour, remarqua-t-il.

— A dire vrai, moi non plus.

Simon se redressa et planta les deux coudes sur la surface noire et polie de son bureau. Tout en écoutant parler Dave, ses pensées ne cessaient de vagabonder. Quelque chose,

125

remarqua-t-il, qui intervenait de plus en plus souvent ces derniers temps — en fait, depuis que Megan était entrée dans sa vie. Ces quelques jours qui venaient de s'écouler avaient été durs pour elle. Les journaux étaient pleins du dernier scandale Ashton en date, et Megan s'alarmait maintenant au moindre gros titre. L'enfant illégitime de son père était un vrai scoop et tous les journalistes de l'Etat essayaient sans cesse de trouver un nouvel angle pour aborder l'affaire.

Simon savait qu'elle était plus inquiète pour lui et ses affaires que pour elle-même et, bien qu'il lui en soit reconnaissant, il ne cessait de lui répéter qu'elle ne devrait pas s'en inquiéter. Il était exact que les scandales nuisaient aux affaires, surtout lorsqu'on traitait avec des hommes comme Manfred Peabody, un vieux ringard qui aurait été beaucoup plus à sa place dans l'Angleterre victorienne. Mais ce n'était pas comme si le scandale éclaboussait la propre famille de Simon. Pearce Industries était en sécurité. Si Spencer Ashton était un imbécile, cela ne pouvait en rien affecter Simon. Sauf bien sûr pour l'effet que ce vieux salaud produisait sur Megan.

Au moment même où cette pensée traversait son esprit, Simon réalisa qu'il n'aurait jamais pu imaginer, à peine deux semaines auparavant, qu'il pourrait ressentir ce genre de sentiment. Les choses avaient bien changé. Désormais, Megan était sa femme et il n'était pas question pour lui de laisser le vieux Peabody — ou n'importe qui d'autre — insinuer qu'elle était coupable en quoi que ce fût du seul fait d'être une Ashton. Megan... Ces temps derniers, toute sa vie tournait autour de Megan. Il n'avait rien attendu d'autre de ce mariage temporaire qu'une facilité. Mais il se transformait rapidement en quelque chose de bien plus important. Sa femme se glissait désormais dans chaque coin de sa vie, une réalité qu'il n'avait jamais imaginée.

— Simon ?

Il sursauta.

— Hein ?

Il battit des paupières et leva les yeux vers Dave. Ce dernier secoua la tête, un grand sourire aux lèvres.

— Où diable est donc passée, demanda-t-il d'un ton ironique, l'exceptionnelle capacité à se concentrer sur un seul sujet qui fait de Simon Pearce l'homme le plus à craindre dans ce monde de mortels ?

Simon se leva et, avec un rire bref et sec, enfouit les mains dans ses poches. Il haussa les épaules et considéra son ami.

— Du diable si je le sais !

Dave hocha la tête, l'air pensif.

— Il était temps, finit-il par affirmer sur un ton nonchalant.

— Que veux-tu insinuer ?

Dave cala l'enveloppe sous son coude.

— Je veux dire que tu as vécu trop longtemps uniquement pour cette société.

Simon fronça les sourcils mais ne discuta pas. Difficile de nier : son ami avait raison.

— Tu as toujours été un bourreau de travail, poursuivit Dave. Ce n'est pas sain.

Simon émit un grognement de dédain et contourna son bureau. Sur le mur du fond, une pendule d'argent égrenait les heures… jusqu'à ce qu'il puisse rentrer chez lui, songea-t-il machinalement. Jusqu'à ce qu'il retrouve Megan. Bon sang, il avait encore une fois perdu le fil de sa pensée !

Il se percha sur le coin de son bureau.

— Sain ? répéta-t-il. De la part d'un homme qui est persuadé que les frites sont des légumes, ce n'est pas mal.

Dave sourit mais choisit d'ignorer la plaisanterie.

— Ce que je veux souligner, Simon, c'est que tu as droit à une vie et tu n'en as aucune.

Simon se rembrunit.

— Si, j'en ai une.

— Je ne parle pas de la société.

— C'est tout ce qui a toujours le plus compté, répondit Simon à voix basse.

— Jusqu'à maintenant, insinua Dave.

Il fit un pas en avant et tapa sur l'épaule de Simon.

— Megan te fait du bien, Simon. Je suis heureux pour toi qu'elle soit là.

— C'est provisoire. Un marché temporaire.

Dave se mit à rire et se retourna vers la porte qui menait à son propre bureau. Il l'ouvrit puis s'arrêta et jeta un coup d'œil à son patron.

— As-tu cessé d'être l'homme qui a toujours été persuadé que les contrats étaient faits pour être renégociés ?

Après son départ, les mots restèrent en suspens dans l'air comme… quoi donc ? se demanda Simon. Un challenge ? Une suggestion ?

Ses doigts se refermèrent sur le rebord du bureau noir et froid et il jeta un coup d'œil à la pendule, tandis que son esprit fonctionnait à toute vitesse. Son mariage devait-il réellement rester temporaire ? Attendait-il autre chose de Megan ? Il l'ignorait. Il n'avait de certitude que sur un seul point : il la voulait. Maintenant, tout de suite. Inutile de s'inquiéter pour le lendemain. C'était encore trop loin. Et hier était bien trop vide pour qu'il ait envie de s'en souvenir.

— Charlotte, je crois que je vais devenir folle !

Megan parcourait à grands pas le living-room de la petite maison d'invités où vivait sa cousine Charlotte. Les pièces étaient minuscules mais très bien entretenues avec des parquets de bois ciré chaleureux et des plafonds lumineux. Ce petit bâtiment à un étage était fait de pierre et de bois et, lorsqu'elle était enfant, Megan considérait le cottage comme une maison tirée d'un livre de contes, peuplée de fées et de farfadets et de tout ce dont pouvait rêver une petite fille. Maintenant, c'était devenu la maison de sa cousine. Charlotte Ashton n'avait jamais été très désireuse d'habiter la maison principale, préférant la solitude de ce lieu confortable. En outre, les serres étaient juste derrière, ce qui rendait les choses plus faciles à cette femme qui créait de magnifiques décors floraux destinés aux réceptions organisées au Vignoble Ashton.

— Si tu ne t'arrêtes pas, ma chérie, tu vas faire un trou dans le parquet, remarqua Charlotte d'une voix calme.

— Désolée, c'est juste que…

Megan s'immobilisa, les mains grandes ouvertes.

— Tu dois faire les cent pas lorsque tu es angoissée, je sais.

Charlotte était pelotonnée sur un sofa vieux rose, un coussin de velours serré contre la poitrine. Ses longs cheveux noirs et raides lui retombaient plus bas que les épaules et formaient comme une cape soyeuse qu'elle avait l'habitude de rejeter en arrière pour créer un certain effet. Elle était toute petite et patiente, et parlait d'une voix douce. En somme, tout le contraire de Megan, songea cette dernière. Peut-être était-ce la raison pour laquelle elles s'entendaient si bien ?

Megan prit une profonde inspiration, rejeta l'air de ses poumons avant de se laisser choir sur un fauteuil vert foncé. Les coussins ventrus l'entourèrent comme pour la réconforter.

— Les journaux sont pleins de l'histoire de père et de son dernier… je ne sais même pas comment le qualifier, dit-elle.

— Avatar ? proposa Charlotte.

— Un mot aussi bon qu'un autre, commenta Megan.

Elle secoua la tête et, d'une main, repoussa une boucle blonde derrière son oreille.

— Les reporters s'agglutinent autour des grilles, se précipitent sur chaque voiture qui sort, téléphonent au domaine, et harcèlent les clients qui viennent ici seulement pour une dégustation de vin.

Elle fit une pause pour reprendre son souffle.

— Hier, un type d'une équipe de la télé a même fait pleurer une jeune fille venue fêter son seizième anniversaire.

Megan frissonna au souvenir de la façon dont la jeune fille et ses amis avaient été pourchassés dans le chemin par un journaliste envahissant.

— Mère ne veut pas en entendre parler, Trace se plonge la tête dans son travail, Paige fait comme si tout était normal, père refuse de desserrer les dents... il m'a même déclaré ce matin que, puisque j'avais choisi de me retourner contre lui et de prendre le parti de mon mari, il ne me devait rien. Aucune explication, rien.

Elle se recroquevilla sur elle-même en se rappelant la scène qui s'était déroulée le matin même dans le bureau de son père. Comment avait-elle pu imaginer une seule seconde que Spencer allait lui demander son avis ?

— Quant à Simon..., poursuivit-elle.

— Eh bien, quoi, Simon ?

— Je ne sais pas, admit Megan.

Elle se garda bien d'ajouter que c'était ce qui l'inquiétait le plus. Simon n'avait rien déclaré à propos de ce dernier désastre familial. Rien depuis la nuit où elle lui avait tout dit et où ils avaient...

Durant un instant, son corps s'embrasa, puis la sensation s'évanouit totalement.

130

— Mon Dieu, Charlotte, je ne sais plus du tout quoi faire ! se désola Megan. Et d'ailleurs, que pourrais-je faire ? Quel gâchis !

Les traits de Charlotte se durcirent.

— Tu sais que je n'apprécie pas spécialement ton père, Megan, observa Charlotte.

— Je le sais. C'est sans doute la raison pour laquelle je suis venue te voir. Dans la *Villa*, tout le monde marche sur la pointe des pieds comme s'il fallait faire attention à ne pas dépasser certaines limites. Mais comment serait-ce possible, de toute façon, puisque c'est père tout seul qui fixe les limites ?

— Tu te comportes comme si tout cela était une surprise pour toi, commenta Charlotte qui se pencha pour prendre sa tasse de thé.

— Alors que je ne devrais pas, veux-tu dire ?

Charlotte haussa les épaules et but une gorgée de thé.

— Je ne peux pas te blâmer de ne pas vouloir regarder la vérité en face au sujet de ton père. Mais voyons, Megan, il y a des années que je la connais, la vérité. On ne peut pas faire confiance à cet homme. Pas du tout.

Elle aurait dû se sentir insultée, se dit Megan. Elle aurait dû éprouver le besoin de se lever pour défendre son père. Elle l'avait toujours fait. Elle avait passé tant d'années à tenter d'expliquer le comportement de Spencer, son attitude, sa manière de traiter autrui, que c'en était presque devenu pour elle une seconde nature. Seulement, et c'était triste à dire, elle n'en était désormais plus capable. Elle n'arrivait même plus à se convaincre *elle-même* que Spencer était le genre de père qu'elle avait toujours désiré.

Au cours des deux dernières semaines, c'était comme si on lui avait soudain ôté un bandeau des yeux et qu'elle le voyait non comme elle désirait qu'il fût, mais tel qu'il était en réalité. Un homme qui avait toujours trompé chacune de ses épouses. Un homme qui faisait des bébés et s'en allait ensuite. Un homme qui ne lui avait pas adressé la parole autrement que par monosyllabes depuis le soir où il l'avait accusée de le défier. Non, il n'y avait aucune défense possible pour Spencer. En tout cas pas de sa part à *elle*.

Plus jamais.

— Mon Dieu, soupira-t-elle. Tu as raison.

Jamais, auparavant, elle ne l'aurait admis tout haut devant qui que ce soit. Elle avait pu le penser, mais elle ne se serait jamais laissée aller à être assez déloyale pour le dire. Les deux dernières semaines avaient de toute évidence transformé autre chose que sa vie amoureuse.

Megan se surprit à sourire, en comprenant que, désormais, elle n'aurait plus jamais besoin de quémander l'approbation paternelle. Peut-être avait-elle enfin compris qu'elle ne viendrait jamais. Peut-être avait-elle découvert qu'obtenir l'approbation de son père n'était pas aussi essentiel que la sienne propre ?

Megan se redressa légèrement dans son fauteuil et réfléchit un instant à la question. Une onde de satisfaction s'insinua en elle et elle ébaucha enfin un vrai sourire. Charlotte lui jeta un coup d'œil par-dessus le bord de sa tasse et ses yeux marron foncé se mirent à briller dans la lumière de cette fin d'après-midi.

— Ça va aller maintenant, n'est-ce pas ?

— Tu sais, dit lentement Megan, je crois que oui.

— J'en suis heureuse.

— Merci.

— En fait, il faut que je t'avoue que j'en suis heureuse pour moi aussi, reprit Charlotte. Car puisque que tu as enfin accepté certaines vérités au sujet de ton père, je peux te dire quelque chose.

Le ton était si grave, ses traits soudain si tendus, que, instinctivement, Megan se pencha vers elle.

— De quoi s'agit-il ? Quelque chose de grave ?

— Eh bien, je ne sais pas, justement…

— Charlotte, s'il te plaît, dis-moi !

La cousine de Megan aspira une profonde bouffée d'air et avala une autre gorgée de thé comme pour rassembler toute son énergie avant de se lancer.

— Tu sais que ton père a toujours prétendu que ma mère était morte ? dit-elle.

— Oui, acquiesça Megan.

Charlotte était la fille de David, le plus jeune frère de Spencer, et de Mary-Petite-Colombe, une indienne Sioux. A la mort de David et de son épouse, Spencer avait pris leurs deux enfants avec lui, Walker et Charlotte, pour qu'ils vivent à la *Villa Ashton*.

— Eh bien, je ne le crois pas, déclara Charlotte à voix basse.

— Tu penses que ta mère vit toujours ? demanda Megan en ouvrant de grands yeux étonnés.

— Je dois le découvrir, répondit Charlotte. D'une manière ou d'une autre, il faut que je le découvre. Walker prétend que je suis folle mais, Megan, quelque chose en moi me souffle de ne pas croire la version de l'histoire telle que la raconte ton père.

Son père aurait-il fait un mensonge délibéré à propos de la mort de Mary-Petite-Colombe ? se demanda Megan.

Moins d'une seconde après, elle s'avoua que oui. Si cela pouvait servi ses intérêts à cette époque, Spencer l'aurait fait.

A travers la petite table basse, elle tendit la main vers sa cousine et quand leurs mains se joignirent en signe de solidarité, Megan déclara :

— Trouve la vérité, Charlotte, et si tu as besoin d'aide, appelle-moi.

Phoebe Pearce sourit en apercevant sa belle-fille et se leva pour l'accueillir, tandis que Megan se frayait un chemin au milieu du restaurant bondé. Elle avait les nerfs à fleur de peau mais les Ashton apprenaient dès leur plus jeune âge à dissimuler leur anxiété. Un grand sourire plaqué sur son visage, Megan se pencha donc pour déposer un baiser sur la joue de la toute petite femme.

— Comme c'est gentil de votre part de m'inviter à dîner, dit-elle.

— Voyons, ne dites pas de bêtises ! répondit Phoebe en balayant la remarque d'un geste avant de reprendre son siège.

Elle étala ensuite sa serviette gris perle sur le devant de son surprenant ensemble vert forêt.

— Quand j'ai su que Simon travaillerait tard ce soir, j'ai compris que ce serait une belle occasion pour nous d'avoir une conversation entre filles.

Entre filles ? Comment cela pouvait-il être possible ? se demanda Megan. Même si Phoebe paraissait vraiment très sympathique, Megan était encore assaillie par des élans de culpabilité à l'idée d'avoir, sous un faux prétexte, épousé le fils de cette femme. Au moins, se rappela-t-elle, Simon avait tenu parole et expliqué la véritable situation à sa mère.

— Désirez-vous un apéritif, ma chère ? demanda Phoebe.

— Un verre de vin serait parfait, répondit Megan.

— Bien sûr !

Phoebe sourit encore une fois et fit signe au garçon qui passait à proximité.

— J'aurais dû savoir qu'une Ashton préférerait du vin.

Elle dit quelques mots rapides au garçon et se retourna vers son invitée.

— J'ai commandé un délicieux chardonnay. Je pense que vous l'apprécierez.

— Merci.

Megan avait la gorge sèche, et l'impression que ses nerfs dansaient un mambo endiablé tout le long de sa colonne vertébrale. Quand les secousses atteignirent sa gorge, elle se mit à parler comme pour s'assurer que tout allait bien pour elle.

— Phoebe, dit-elle, vous avez très bien choisi : c'est le chardonnay que je préfère. Et vous savez, on dit que la récolte sera merveilleuse cette année.

— Je ne savais pas que le Vignoble Ashton produisait du chardonnay, remarqua Phoebe.

— En fait, nous n'en faisons pas, répondit Megan, ravie de faire porter la conversation sur la vigne. Ou plutôt, nous n'en commercialisons pas, mais nous cultivons des cépages de chardonnay et les utilisons ensuite dans notre cuvée spéciale.

— Je comprends mieux. Comme la fabrication du vin doit être une activité fascinante !

— Eh bien, pour être franche, je ne suis pas très impliquée dans le processus en question, avoua Megan.

Son frère Trace dirigeait l'exploitation et aurait sans doute pu expliquer à Phoebe tout ce qu'elle désirait savoir. Mais Megan et Page, après l'époque où enfants, elles avaient aidé à la vendange, ne faisaient désormais plus rien dans la partie viticole du domaine.

— Je m'occupe des réceptions sur le domaine, poursuivit Megan, et…

— Oh, je le sais, ma chère, mais quand même, vous êtes là et vous faites partie de tout cela. Le vignoble est à la merci du temps et je trouve tout cela tellement terrien, tellement passionnant !

Malgré l'interruption, Megan sourit.

— Pas autant que vous le pensez, car lorsque vous êtes un enfant et que l'on attend de vous que vous aidiez à la vendange, tout ce que vous récoltez vraiment, ce sont des crampes dans les jambes et des ampoules au bout des doigts !

Pendant que Megan parlait de tout et de rien, le garçon revint et leur versa du vin. Ensuite, après leur avoir laissé le temps d'étudier le menu, il prit la commande et s'éclipsa. Quand elles furent de nouveau seule à seule, Megan prit une profonde inspiration. Il était temps de cesser ce babillage, se dit-elle, et pour essayer de maîtriser le flux incessant de ses paroles, elle laissa son regard errer sur la salle de restaurant bondée. Les tables recouvertes de nappes blanches étaient toutes ornées en leur centre d'un vase empli de fleurs printanières. Des accords doux de musique classique leur parvenaient depuis un grand piano blanc sur le clavier duquel une jeune femme en robe rose pâle égrenait des notes. Tout ici était beau et Phoebe était un amour.

Alors pourquoi Megan avait-elle les nerfs à vif ?

— Je désirais vous parler en privé, Megan, déclara son aînée.

Et voilà la raison, songea Megan, non sans se demander où sa belle-mère voulait en venir.

— Oui ?

— C'est à propos de Simon.

Son interlocutrice lui sourit. Ses yeux gris pâle brillaient, pleins de bienveillance.

— Etant sa mère, je dois tout simplement vous féliciter et vous dire à quel point je suis heureuse de votre union.

— Vraiment ?

— Le changement qui s'est opéré chez mon fils au cours des deux dernières semaines est rien moins que stupéfiant.

— Pardon ?

Megan ne s'était pas du tout attendue à cela. En fait, au vu de toutes les rumeurs qui couraient sur son père au même moment, elle n'aurait pas été surprise si Phoebe lui avait demandé de mettre fin immédiatement à son mariage temporaire avec son fils. Elle ne l'en aurait du reste pas blâmée pour autant.

Phoebe tendit la main à travers la table pour couvrir celle de Megan.

— Ma chère, vous avez accompli des merveilles avec lui.

Surprise et confuse, Megan se contenta de la regarder fixement.

— Je n'ai pu déjeuner avec lui qu'hier et il était… détendu… comme je ne l'avais jamais vu. Il souriait. Il s'amusait.

Elle marqua une petite pause, puis lui lança un clin d'œil tout en déclarant :

— Rendez-vous compte, il ne m'a même pas pressée de déjeuner pour pouvoir retourner plus vite travailler !

Megan secoua la tête.

— Je ne pense pas y être pour quelque…

— Sottise !

Phoebe adressa un sourire au serveur qui déposait leurs assiettes devant elles. Elle reprit la parole, dès qu'il eut tourné le dos.

— Un homme heureux en ménage devient heureux dans tous les autres domaines de sa vie.

— Phoebe, dit très vite Megan de peur d'être interrompue encore une fois, je sais que Simon vous a révélé la vérité sur notre mariage.

137

— Certainement.

— Vous savez donc que nous ne sommes pas…

— Amoureux ? termina Phoebe à sa place.

Megan grinça des dents, mécontente d'être encore une fois interrompue.

— A votre place, je n'en serais pas si sûre, ma chère, conclut Phoebe.

— Vraiment, Phoebe, protesta Megan sans trop de conviction.

— Vous savez, Megan, répliqua sa belle-mère, je connais mon fils depuis beaucoup plus longtemps que vous et je peux vous affirmer que je ne l'ai jamais vu ainsi auparavant. Il se comporte comme s'il venait de découvrir quelque chose qui lui manquait et dont il ignorait l'existence. Et ce quelque chose, ma chère, c'est vous.

Le cœur de Megan battait un peu la chamade mais elle se retint de croire tout à fait Phoebe. Certes, se dit-elle, celle-ci pouvait s'imaginer voir de l'amour en observant Megan et Simon mais, en fait, tout ce qu'elle devinait n'était qu'une excellente alchimie physique. Un mariage commencé comme un pacte d'affaire ne pouvait se transformer en rien de plus, n'est-ce pas ? Aucun d'eux n'avait songé à l'amour lorsqu'ils s'étaient jetés dans cette union de convenance. Aucun des deux n'avait non plus prononcé le mot. Mais maintenant que Phoebe y faisait allusion… L'amour ? Etait-ce possible ? Etait-ce une éventualité à laquelle elle aurait dû songer ?

Tout à coup, elle se sentit toute chamboulée et les battements de son cœur se firent irréguliers. Son cerveau n'était plus qu'un tourbillon à mesure qu'elle essayait de s'imaginer le moment où elle devrait dire au revoir à Simon, dans un an, quand leur contrat prendrait fin.

Alors, un chagrin vif et aigu comme un coup de poignard la transperça et elle déglutit difficilement. Si, au bout de

138

deux semaines, la pensée d'avoir à quitter Simon lui faisait si mal, quelle extrémité sa douleur atteindrait-elle dans un an ? se demanda-t-elle avec un sentiment d'angoisse. Phoebe se trompait sans doute sur les sentiments de Simon. Après tout, il n'avait pas eu l'air de souhaiter autre chose de la part de Megan que ce qu'il avait dit lors de sa demande en mariage. Pourtant, sa mère avait tout de même vu juste sur un point.

D'une façon ou d'une autre, au cours des deux semaines qui venaient de s'écouler, Megan Ashton Pearce était tombée amoureuse de son mari.

10.

La troisième semaine de mariage de Megan fut radicalement différente des précédentes. Au début, Simon et elle avaient eu la grande maison à leur seule disposition. Ils avaient disposé d'un peu de temps pour s'habituer l'un à l'autre. D'abord à l'idée même d'être mariés, et puis aussi d'avoir le loisir de se livrer à d'autres activités. *Des tas* d'autres activités. La première nuit où ils avaient fait l'amour en avait inauguré d'autres plus extraordinaires encore, que Megan n'aurait jamais crues possibles. Ils avaient fait l'amour dans presque toutes les pièces de la maison et même une fois dans l'escalier. Ils s'étaient longuement douchés ensemble et ils avaient partagé d'agréables repas en tête à tête dans la cuisine. Seuls tous les deux dans la grande demeure, ils ne s'étaient jamais souciés d'avoir à préserver leur intimité et n'avaient jamais craint que quelqu'un puisse surprendre leurs conversations.

Mais, à présent, tout était différent. La cuisinière à plein temps avait repris les rênes de la cuisine et c'en était terminé des raids à minuit dans le réfrigérateur. Il y avait des domestiques presque dans chaque pièce qui entraient ou sortaient. Finies donc les petites séances coquines sur les canapés ! Le jardinier travaillait aussi à plein temps, et ils avaient dû renoncer à faire l'amour sous les arbres du jardin.

— De toute manière, marmonna Megan, même si nous n'étions encore que tous les deux, il n'y a guère de chances pour que ça se reproduise.

Après tout, Simon passait de plus en plus de temps à son bureau et de moins en moins avec elle. Il partait tôt le matin et ne rentrait pas à la maison avant 10 heures du soir, et même plus tard. Tout se passait comme s'il essayait d'éviter de se retrouver chez lui — ou plutôt avec *elle*.

Les bras serrés sur sa poitrine, Megan arpentait l'espace confiné de sa chambre. La maison, même si maintenant elle était animée, lui paraissait vide en l'absence de Simon. En dépit de ce que Phoebe lui avait dit la semaine précédente au restaurant, Megan était certaine que son mari de fraîche date regrettait déjà leur mariage.

Son cœur se serra un peu, mais elle calma rapidement la petite douleur. Elle n'avait aucun droit d'être blessée ou déçue. Leur union était telle qu'elle avait été dès le début, c'est-à-dire une convention. Un faux-semblant accompagné de voluptueux rapports charnels. Personne n'avait jamais parlé d'un heureux *après*, en fait. Personne n'avait prononcé le mot « amour ». Personne, y compris elle-même, n'avait prévu un quelconque changement dans leurs sentiments.

Megan s'arrêta devant les larges baies qui surplombaient le jardin et la colline qui dominait la vallée. Elle se laissa tomber sur la grande banquette capitonnée et fixa l'obscurité à travers la vitre. Elle ne s'était pas souciée d'allumer, mais un petit feu brûlait dans l'âtre, plus pour l'atmosphère qu'il créait que pour chauffer la pièce, et les flammes se réfléchissaient sur les vitres. La voûte céleste étincelait de mille points de lumière et la lune éclaboussait en contrebas les jardins parfaitement soignés.

La tête appuyée contre le mur, Megan laissa errer son regard dans l'ombre tandis qu'en même temps, une multitude de pensées s'agitaient dans son esprit. Les journaux étaient toujours pleins des rebondissements intervenus au sein de la famille Ashton. Selon toute évidence, ils n'avaient encore pas trouvé d'autre scandale à se mettre sous la dent. Spencer était resté à l'écart de tout le monde et avait refusé d'évoquer le sujet d'Alyssa Sheridan ou du petit garçon. Simon continuait à assurer à Megan que les ennuis de son père ne le troublaient pas, mais comment le croire ?

— C'est ta faute aussi, murmura Megan, en passant un doigt sur son reflet dans la vitre. Qui diable t'a demandé de tomber amoureuse de ton mari ?

Quelle bêtise !

L'amour n'intéressait pas du tout Simon. Il l'avait clairement laissé entendre le jour de leur mariage. Il avait juste cherché à mettre sa famille et sa société à l'abri du scandale. Il s'agissait d'un mariage d'une année. Une affaire, se répéta-t-elle, rien qu'une affaire ! Pourtant, le scandale les avait rattrapés, et Simon, que le diable l'emporte, prenait ses distances avec elle. Megan en était très consciente. Même lorsqu'ils se retrouvaient dans le même lit, même quand il la tenait dans ses bras ou se glissait en elle, elle le sentait s'éloigner. Elle ne savait pas comment arrêter cela, ni même si elle en était capable. Alors, ce n'était pas vraiment le moment d'apporter une nouvelle touche à cette succession de complications en admettant qu'elle était bel et bien tombée folle amoureuse de lui.

— Ah ça, vraiment, s'exclama-t-elle tout haut en se levant de la banquette. Ma vie est une drôle de fête !

— Et puis-je participer à cette fête ?

Megan tourna abruptement la tête et fixa du regard l'embrasure de la porte. Simon se tenait là. Du bout de l'index, il retenait sa veste rejetée derrière son épaule. Sa cravate était dénouée et le premier bouton de sa chemise défait. Il paraissait las, tourmenté et absolument craquant. Megan avala sa salive et se demanda si elle s'habituerait jamais au bonheur simple de le contempler. D'un seul coup d'œil de ses yeux gris comme la brume, il était capable de la faire complètement chavirer. En tout cas, il n'était pas question de le lui avouer.

Megan s'éclaircit la gorge.

— Quoi

— Tu viens de dire que ta vie est une fête, répéta Simon.

Il s'avança à l'intérieur de la pièce, après avoir fermé la porte derrière lui.

— Je me demandais juste si j'étais invité ou non.

Comment pouvait-il ignorer, se demanda Megan, que la fête, c'était lui ? Et pire, comment allait-elle pouvoir vivre avec lui encore une année entière sans jamais lui crier la vérité sur les sentiments qu'il lui inspirait ? Dieu ! Comme elle aurait aimé être une meilleure menteuse. Ou même meilleure actrice.

Elle aspira une bouffée d'air, intima vertement l'ordre à ses nerfs de la mettre en sourdine et arbora un sourire forcé. Il fallait trouver un moyen de garder secret l'amour qu'elle éprouvait pour lui. Ce serait son cher petit secret. Pourtant, maintenant que Simon était là, tous les soucis et toutes les pensées qui l'avaient occupée s'envolèrent, son corps recouvra sa faim de lui et son cœur battit la chamade. Peut-être qu'il ne l'aimait pas, se dit-elle, mais même s'il gardait ses distances avec elle, il la désirait toujours, elle le savait, elle en était sûre. Alors pour l'instant, autant remettre tout cela au lendemain et se concentrer sur la soirée.

— Bien sûr que tu es invité, lança-t-elle.

Elle s'avança vers lui. Ses pieds nus ne faisaient aucun bruit sur le tapis. Elle écarta son peignoir et le laissa glisser à terre. Elle ne portait plus qu'un caraco de soie vert pâle et une culotte assortie. La fraîche brise nocturne lui effleura la peau, sans qu'elle en prît conscience. Comment avoir froid quand le regard de braise de Simon se posait sur elle ?

Il la regarda s'approcher, l'air interrogateur.

— De quelle sorte de fête s'agit-il ?

Dieu du ciel ! Même sa voix, riche et basse, était sexy. Elle résonnait profondément et faisait naître en elle le plus délicieux des frissons. Les flammes dans l'âtre jetaient des ombres sur ses traits et se reflétaient dans ses yeux.

— Il s'agit d'une fête du genre « tu es en retard et tu m'as manqué », répondit Megan.

Simon fronça légèrement les sourcils et jeta sa veste au pied du lit.

— Je n'avais pas l'intention d'être autant en retard, mais...

Megan secoua la tête et lui couvrit la bouche du bout des doigts.

— Aucune importance. Tu es là, maintenant.

Simon esquissa un sourire et quelque chose étincela au fond de ses yeux.

— Juste à temps pour la fête, alors ?

— En fait, c'est toi l'invité d'honneur.

Et, tandis qu'elle l'entraînait vers l'immense lit, il demanda :

— Ah oui ? Et qu'est-ce que je gagne ?

— Moi.

Megan lui déboutonna sa chemise, dénoua complètement sa cravate et l'en débarrassa. Ensuite, elle fit tomber sa chemise et posa ses paumes sur le torse nu. Simon aspira un filet d'air à travers ses dents serrées et Megan sourit en son for intérieur. Sur ce point au moins, elle savait qu'elle avait le pouvoir de le toucher. Elle ne pouvait pas lui dire qu'elle l'aimait, mais elle pouvait le lui faire sentir.

Elle baissa la tête et pressa ses lèvres à la base du cou de Simon. Elle laissa échapper un soupir quand les mains de celui-ci remontèrent pour caresser sa peau sous la soie de son caraco.

— Tu es si merveilleuse, chuchota-t-il.

Son souffle lui frôla le sommet de la tête et lui souleva les cheveux.

— Tu es toujours si diablement merveilleuse.

— J'en suis heureuse, répondit-elle d'une voix étouffée sans cesser de l'embrasser.

Docile, Simon se laissait faire sous les caresses. Elle se frottait contre lui, faisant naître en lui la plus troublante des sensations, le soumettant à une délicieuse torture. Soudain, incapable de résister au désir qui montait en lui, il poussa un râle, la plaqua contre lui et se laissa tomber à plat dos sur le lit.

Eperdue, Megan le regarda. Il avait les traits tirés, figés. Ses prunelles avaient viré au gris foncé et le désir s'y reflétait. Si elle ne pouvait obtenir son amour, songea-t-elle, elle était au moins capable de revendiquer le besoin qu'il avait d'elle. Tout au moins pour l'instant. En cet unique instant, Simon Pearce avait besoin d'elle, il la désirait. C'était tout ce qui comptait.

Simon leva la main pour lui écarter les cheveux du visage et les rejeter derrière ses épaules.

— Je ne sais pas ce que tu me fais, chuchota-t-il.

Sa voix était rauque et on aurait dit que les mots avaient du mal à franchir sa gorge.

— Mais, admit-il enfin, je n'arrête pas de penser à toi.

Elle sourit. Il pensait à elle. Il la désirait. Ce n'était peut-être pas de l'amour, mais c'était toujours quelque chose.

— J'en suis heureuse aussi, dit-elle.

— Il faut que je te prenne, Megan, ajouta-t-il d'une voix fiévreuse.

— Je suis là.

Elle déposa un baiser sur sa bouche et, du bout des dents, lui mordilla la lèvre inférieure.

— Tu n'es pas assez près, souffla-t-il tout en la retournant jusqu'à ce qu'elle se retrouve allongée sous lui. Pas encore assez.

Il ne lui fallut que quelques secondes pour la dénuder entièrement et la sentir frémissante sous lui. Ses mains, ses doigts, sa bouche, ne se rassasiaient pas de l'effleurer, de la caresser, de la savoir si près de lui.

— Oh, Megan, murmura-t-il sans cesser de la couvrir de baisers.

Megan s'embrasa sous les caresses, et quand il la goûta, ce fut comme si son corps explosait en mille morceaux. Elle se tordit sur les draps, possédée par un désir insatiable. Plus immense encore que la toute première fois. Elle avait l'impression de ne jamais pouvoir être rassasiée de lui. Chaque fois, elle le désirait un peu plus encore. Etait-ce cela l'amour ? se demanda-t-elle. S'agissait-il de ce besoin fracassant, écrasant, d'être avec lui, sous lui, de devenir une partie de lui ? Et s'il en était ainsi, comment parviendrait-elle à survivre sans lui ?

Tout à coup, Megan eut l'impression de ressentir un manque immense. Comme un vide insupportable. Simon venait de s'écarter d'elle. Elle lui lança un regard implorant, avant de comprendre qu'il ne l'avait délaissée que pour se dépouiller de ses propres vêtements. Elle le contempla à la lueur du feu, ce qui ne fit que renforcer le désir qu'elle éprouvait pour lui. Mais c'était bien plus que du désir, comprit-elle soudain. Elle ne s'était jamais attendue à ressentir un sentiment d'une telle intensité, et après en avoir pris conscience, elle fut tout à coup certaine qu'elle ne pourrait pas continuer à vivre avec lui, sachant qu'il ne ressentait rien de semblable à son égard. Et qu'il ne ressentirait jamais rien.

Simon revint vers elle et s'allongea sur elle. Il l'embrassa, et au contact de ses lèvres sur les siennes, toute autre pensée s'effaça de l'esprit de Megan. Sa peau frôlait la sienne et c'était magique. Les mains de Simon glissaient sur son corps, et elle se sentait transportée par des vagues de désir, par un irrépressible besoin de le sentir en elle, de ne faire plus qu'un avec lui. Oh oui, elle le désirait tout entier, elle voulait tout de lui.

Tout ce qui n'était pas Simon s'effaça.

Tout ce qui n'était pas ce moment s'évapora de son esprit.

— C'est fou, murmura-t-il, tout contre sa gorge et déjà allongé entre ses cuisses. Ton parfum me suit sans cesse. Tes soupirs hantent mes rêves. J'ai constamment ton visage devant moi et j'entends ta voix même lorsque tu n'es pas là.

Megan sourit et se cramponna à ces mots. Elle les serra contre elle comme elle le faisait de Simon. Plus près même, pour les enfouir au fond de son cœur. Plus tard, elle pourrait s'y réchauffer, quand la froide réalité s'abattrait sur elle. Quand il serait parti et qu'elle se retrouverait seule à s'efforcer de se rappeler que cet amour n'avait pas fait partie du marché.

— Prends-moi, Simon, murmura-t-elle. Prends-moi maintenant.

Elle s'arc-bouta contre lui, et ses hanches se soulevèrent en une supplication muette. Simon lui saisit les mains et les plaqua sur le matelas de chaque côté de sa tête. A l'instant même où il posa les lèvres sur les siennes, il s'enfonça en elle. Leurs langues se mêlèrent, dansèrent et leurs corps se mirent à bouger sur un rythme plus vieux que le temps lui-même. Quand les premiers spasmes de plaisir surgirent en elle, Megan entendit Simon chuchoter son nom, juste avant d'être emportée avec lui par les torrents de la volupté.

Plus tard, allongée à côté de lui dans la lueur des flammes, elle le regarda dormir et se demanda une fois de plus comment elle parviendrait à vivre sans lui.

— Les nouveaux contrats sont en cours d'envoi, annonça Dave, debout devant le bureau de Simon, attendant sa réponse.

— Parfait. Préviens-moi quand ils arriveront.

— Eh bien ! s'exclama son ami. Modère ton enthousiasme, mon vieux !

Simon soupira et se renversa dans son fauteuil. Il afficha un sourire mi-figue, mi-raisin, et s'enquit :

— C'est mieux comme ça ?

— Pas vraiment, non !

— Pourtant il faudra t'en contenter car c'est le mieux que je puisse faire.

— Mais bon sang, que t'arrive-t-il donc ? demanda Dave.

Bonne question, songea Simon. Mais où était la réponse ? Il passait ses journées à s'activer comme un démon pour ne pas avoir le temps de penser à Megan, et ses nuits à posséder le corps de cette diablesse qui l'avait ensorcelé. Où était la logique dans tout ça ? se désola-t-il intérieurement. Où donc était passée sa fameuse maîtrise de lui-même ?

— Je l'ignore, finit-il par répondre. Je suis d'une humeur massacrante, c'est tout.

Il se redressa, saisit son stylo en argent et tira une feuille de papier vers lui.

— Tu ferais mieux de rester à l'écart de tout ça, Dave.

Mais à l'évidence, son ami ne l'entendait pas de cette oreille. Simon aurait dû s'en douter. Loin d'abandonner la partie, Dave se laissa tomber dans le fauteuil le plus proche et étendit devant lui ses longues jambes.

— Allez, parle ! commanda-t-il.

— A quel propos ? marmonna Simon.

— Megan, bien entendu.

— Rien à voir avec Megan.

— Ah non ? répondit Dave en secouant la tête, avant de partir en un rire franc.

— Pour qui te prends-tu ? demanda Simon d'une voix énervée. Pour le spécialiste des problèmes des cœurs solitaires ?

Cela ne fit que renforcer le rire de Dave, et Simon se sentit soudain très las. Il jeta son stylo sur le bureau et se passa une main dans les cheveux avec assez de force pour se les arracher.

— Très bien, avoua-t-il. Elle me rend dingue.

— Excellent.

— Pour toi peut-être, pas pour moi ! s'exclama Simon.

— Et pourquoi donc ?

— Parce que Simon Pearce ne tombe pas amoureux, c'est tout !

— Qui a jamais prononcé le mot amour ? interrogea Dave, un large sourire aux lèvres.

— Si tu ris encore une fois, je te jure que je te...

— Je ne ris pas. Je m'amuse, simplement.

— Quel plaisir pour un homme d'avoir des amis pour les soutenir dans l'épreuve !

Dave ouvrit les bras, d'un geste large.

— Je fais ce que je peux.

— Fais-moi confiance, ça suffit comme ça, riposta Simon.

Il s'écarta du bureau, se leva et se mit à arpenter la pièce. Il avait l'impression que s'il ne bougeait pas, il allait se désagréger.

— Tout ça, lança-t-il, c'est ta faute.

— Ah bon ? demanda Dave d'un ton ironique. Explique-moi donc ce que j'ai fait...

— Tu es le seul à m'avoir déclaré que j'avais le droit d'avoir une vie et que Megan me faisait du bien.

— Je plaide coupable.

Simon secoua la tête et accéléra l'allure comme s'il tentait d'échapper aux pensées qui le harcelaient. Mais il n'existait aucun moyen d'aller plus vite... ou plus loin.

— J'ai commencé à y réfléchir, et vraiment, j'aurais mieux fait de m'abstenir. Parce que plus j'y pensais, plus je me rendais compte que j'étais amoureux d'elle.

— Mais c'est génial !

Dave bondit de son siège pour le féliciter, mais Simon ricana.

— Ça ne faisait pas partie du plan.

— Laisse tomber ton plan, Simon, conseilla Dave. Tu as enfin trouvé quelqu'un et, si tu veux mon avis, c'est super.

— Super, comme tu dis !

Simon s'arrêta net et foudroya son ami du regard.

— Je ne voulais pas tomber amoureux, cria-t-il avec force. L'amour, c'est le chaos, et je déteste le chaos !

Il s'interrompit le temps de reprendre son souffle, et vit que Dave le regardait d'un air moqueur.

— Tu sais, Simon, peut-être est-il temps que tu comprennes que personne ne peut être tout le temps maître de soi.

— Moi si ! riposta Simon. Enfin, avant.

Dave se mit à rire. Les yeux de Simon se plissèrent en se posant sur lui.

— Et ça reviendra, affirma-t-il.

— Ce qu'il ne faut pas entendre ! commenta Dave.

Simon traversa la pièce pour se rapprocher de son vieil ami.

— Dave, écoute-moi. Tout ce que j'ai à faire, c'est de m'arranger pour que Megan reconnaisse la première qu'elle m'aime. Après, je reprendrai la situation en main.

— Tu as perdu la tête !

— Non, au contraire, je n'ai jamais été aussi sensé.

Maintenant qu'il avait exposé son idée de vive voix, Simon s'échauffait.

— Réfléchis, poursuivit-il. Le premier qui parle perd la main. Si c'est vrai en affaires, pourquoi ça ne le serait pas en amour ?

— Mais enfin, parce que l'amour n'a rien à voir avec l'ambition, tout simplement !

— Eh bien, vois-tu, tu te trompes, répondit Simon.

Il revint s'asseoir derrière son bureau avant de poursuivre.

— Je me suis tiré de plus de tentatives de prises de contrôles hostiles que ceci. Tu verras. J'aime Megan et je sais qu'elle m'aime aussi.

Il s'immobilisa un instant pour réfléchir, puis hocha la tête.

— Oui, elle m'aime vraiment. Il me suffira de l'inciter à me l'avouer avant de le faire moi-même... Aussi difficile que ça puisse être !

— C'est notre père, Megan ! dit Paige en traversant la grande salle de réception. Bien sûr que je vais le soutenir. Tu devrais en faire autant.

— J'ai essayé. Tu le sais très bien.

Megan secoua la tête et suivit sa jeune sœur. Ses talons hauts claquaient sur le sol de marbre poli. Elle savait que Paige ne l'écoutait pas. Qu'elle ne *voulait* pas l'écouter, et Megan en était navrée pour elle. Sa sœur et elle avaient toujours été proches, et maintenant que le scandale à propos du bébé Jack avait bouleversé l'ordre des choses dans la famille, tout se passait comme si chacun avait choisi son camp. Paige et elle, hélas, étaient de part et d'autre de la barrière.

— Franchement, murmura Paige d'un air sombre, à vous écouter toi et Trace, tout le monde pourrait croire que père est une espèce de monstre.

La migraine de Megan battait dans sa tête au rythme de ses pas. Trace, son frère aîné... Elle avait au moins la satisfaction de savoir qu'il pensait comme elle.

Tout en marchant, elle veillait d'un regard attentif à ce que tout soit en place pour la réception de mariage qui devait avoir lieu le lendemain. Les tables rondes prévues pour dix personnes, étaient disposées çà et là. Des nappes couleur pêche les recouvraient, et les chaises aux coussins assortis étaient rangées autour. Sur chacune des tables, un vase attendait les roses thé qui devaient être livrées dans la journée. Le long du mur du fond s'alignaient plusieurs tables plus petites, destinées à la fête qui suivrait, et à l'autre bout de la pièce, un vaste espace était réservé à la danse.

Tout était en ordre. Quoi qu'il puisse se passer à présent, Megan savait qu'elle avait au moins fait en sorte de garder la haute main sur son travail. Après tout, songea-t-elle avec une pointe de dépit, il n'était pas si difficile de travailler quand il ne vous reste rien d'autre…

Paige s'immobilisa devant les portes-fenêtres et se retourna vers elle. Megan remarqua l'expression butée de sa sœur et faillit soupirer. Pour sa part, elle avait enfin pu accepter que leur père ne soit pas l'homme qu'elle aurait souhaité qu'il fût, mais, de toute évidence, Paige n'avait pas encore perdu ses illusions à propos de Spencer. Elle n'était d'ailleurs pas la seule. Lilah, leur mère, refusait même de discuter la question posée par le fils illégitime de son époux. Pire encore, elle refusait de croire que les choses allaient mal. Aveuglément, elle faisait en sorte que sa vie reste aussi parfaite qu'elle l'avait toujours prétendu. Quant à son cousin Walker, songea-t-elle, le frère de Charlotte, c'était le bras droit de Spencer, aussi ne fallait-il pas s'attendre à ce qu'il ait un avis objectif sur la question. Et en effet, il faisait tout pour que la vie continue comme avant. Comme Paige, et comme Lilah. A eux trois, ils faisaient tout pour que l'homme qu'ils défendaient de toutes leurs forces n'ait pas l'air d'avoir besoin du tout d'être défendu. Megan était lasse de batailler sur ce dernier point.

— Très bien, dit-elle, en revenant près de sa sœur. Je suis désolée. A l'avenir, nous ne parlerons plus de père. D'accord ?

Paige laissa fuser un long soupir puis sourit et posa la main sur l'avant-bras de Megan.

— Merci. Tu verras, père saura tout expliquer, et les rumeurs cesseront dès que la presse trouvera une autre proie à pourchasser.

— J'espère que tu as raison, répondit Megan.

Elle n'entretenait pourtant guère d'illusions. Elle avait le sentiment qu'en ce qui concernait son père, les choses allaient plutôt empirer. Elle espérait seulement que Paige ne serait pas trop accablée lorsqu'elle serait forcée d'admettre que son père ne correspondait pas du tout à l'image qu'elle se faisait de lui.

11.

Au cours des jours qui suivirent, Megan se sentit agitée et nerveuse, comme si elle s'attendait à un événement qui permettrait de conclure ce chapitre de sa vie.

Elle se promenait à travers le vignoble, et le soleil lui chauffait le dos. Elle aimait l'odeur des vignes et de la terre fraîchement retournée. Elle adorait marcher le long des ceps bien alignés qui commençaient juste à bourgeonner, parce que cela lui donnait l'impression d'un lien, un sentiment de continuité. Malgré tout, cela ne réussissait pas totalement à dissiper une vague sensation de catastrophe imminente.

— Très bien, murmura-t-elle pour elle-même, après avoir vérifié qu'il n'y avait personne alentour pour l'entendre parler toute seule. Tu prends peut-être les choses un peu au tragique. Il serait temps de songer à prendre les choses un peu moins à cœur.

Pourtant, même si elle évitait de lire les journaux et de regarder la télévision, elle était consciente des perturbations qui agitaient sa famille. Bien entendu, elle était aussi plus que consciente de l'identité de celui qui avait provoqué tout ce gâchis.

Son père.

— Hé ! Voilà que tu parles toute seule maintenant ? Ce n'est pas bon signe, petite sœur !

Megan se retourna avec une telle précipitation que ses chaussures noires à talons plats butèrent dans une racine. Déséquilibrée, elle vacilla, jusqu'au moment où son frère lui saisit le coude pour la redresser.

— Merci, Trace, dit-elle. Mais la prochaine fois, si tu as l'intention de me faire peur, attends au moins que je sois pieds nus !

Trace lui décocha un grand sourire et Megan ne put s'empêcher de sourire à son tour. Le jeune homme était splendide. Un mètre quatre-vingts, bâti en athlète, avec ses yeux verts et ses cheveux châtain clair, il lui suffisait de sourire pour que les femmes se mettent en ligne devant lui, prêtes à se pâmer entre ses bras.

— Je ne m'inquiétais pas à ton sujet, lança-t-il en matière de boutade. Mais attention aux vignes, hein !

Cela dit, il s'agenouilla pour inspecter le cep noueux et bourgeonnant, comme pour s'assurer que Megan ne lui avait fait subir aucun dommage.

— C'est sympa de savoir qu'on passe en second après un pied de vigne ! s'exclama-t-elle d'un ton faussement indigné.

— Ah, si l'on pouvait avoir une bonne cuvée en pressant ta jolie tête, ce serait une autre histoire.

Trace se releva et, de son index, lui tapota le bout du nez. Un brusque flot d'amour pour ce frère qu'elle avait toujours adoré, même lorsqu'il s'amusait à cacher ses jouets d'enfant, envahit Megan.

Trace avait toujours été là pour elle. Toujours prêt à l'écouter ou à lui donner un conseil — même si elle n'en avait pas envie. Or, comprit-elle à cet instant, elle avait vraiment besoin de lui aujourd'hui. Peut-être était-ce la raison de sa promenade dans les vignes ? Son subconscient l'avait sans doute attirée ici à la recherche de Trace. Elle avait tellement besoin de parler à quelqu'un qui la comprenne !

156

— Pourquoi es-tu si sérieuse tout d'un coup ? lui demanda-t-il. Laisse-moi deviner : tu as lu le journal du matin !

— J'ai cessé de lire la presse depuis deux semaines.

Trace frémit.

— Alors, tu ne sais pas ?

Megan frissonna. Pour la première fois de sa vie, elle comprit exactement le sens de l'expression *sentir le sol se dérober sous ses pieds*.

— Je ne sais pas quoi ? interrogea-t-elle.

Un bras passé autour des épaules de sa sœur, Trace se remit à marcher et Megan mit ses pas dans les siens.

— L'un de ces reporters s'est fatigué de brasser toujours la même vieille rengaine du petit frère illégitime, commença-t-il.

— Et… ? dit Megan, désireuse d'entendre la suite tout en se doutant qu'elle n'allait pas l'apprécier.

Trace poussa un long soupir. Chagrin ou dégoût, il était difficile de le deviner.

— Et, reprit-il, il semble qu'il existe plus de squelettes dans les placards de père que n'importe qui aurait pu le supposer.

Megan s'arrêta net et leva les yeux vers lui.

— Raconte-moi.

Trace fronça les sourcils et son regard passa du visage de Megan aux vignes qui s'étageaient en pente douce. Alors, comme cela se passait toujours, ses traits se détendirent lentement, malgré les pensées qui l'occupaient.

— Ça ne va pas te plaire, dit-il.

— Cela va sans dire.

Il hocha la tête.

— Avant d'épouser Caroline Lattimer Sheppard, notre père avait déjà été marié une première fois. A une femme du nom de Sally Barnett. Et il se trouve que père ne s'est jamais soucié de divorcer de sa première épouse.

Par bonheur, Trace la tenait solidement car Megan vacilla sous l'impact des mots, aussi sûrement que si on lui avait donné un coup de poing dans l'estomac. *Il n'avait jamais divorcé* ? Comment était-ce possible ? Quel genre de personne était-il donc ?

Un muscle joua dans la mâchoire contractée de Trace.

— Je pense, dit-il, que tu vois le problème.

— Oh, mon Dieu ! murmura-t-elle, en se blottissant contre son frère, comme pour se protéger derrière sa force. Si je comprends bien, réfléchit-elle à voix haute, si père n'a pas divorcé de sa première femme, alors son mariage avec Caroline n'était pas légal. Pas plus que son mariage avec *notre* mère et…

— Tu as tout compris, maugréa Trace en la serrant dans une brève et énergique étreinte. Ce qui signifie que le Vignoble Ashton pourrait revenir à la famille Sheppard, par le biais de Caroline.

— Et ensuite, il retournera au Domaine de Louret ? chuchota Megan.

Soudain, elle comprenait l'ampleur de ce qu'elle venait d'apprendre.

— Exactement. Père a obtenu ces vignes lors du divorce. Mais si Caroline et lui n'ont jamais été légalement mariés…

— Dans ce cas, il n'y aurait pas de divorce, donc pas de répartition des biens. Mon Dieu, Trace, cela signifie que nous pourrions perdre la *Villa Ashton*, le vignoble, les caves !

— Tu as à peu près fait le tour de la question, dit-il en reprenant sa marche.

Megan maintint son allure, malgré ses genoux qui tremblaient.

Megan posa sa tête sur l'épaule de son frère.

— Dire que j'étais venue ici pour te demander conseil, s'exclama-t-elle avec un soupir. Mais maintenant que je sais tout ça…

— Dis toujours, petite sœur, l'interrompit-il. Je suis toujours heureux de dire aux autres ce qu'ils doivent faire.

— Je sais, dit-elle.

— Qu'est-ce qui ne va pas ?

— C'est juste que… Oh, Trace, je ne sais pas quoi faire avec Simon.

— Ton mari ? Que veux-tu dire ?

Megan s'immobilisa et Trace, l'air soucieux, baissa les yeux sur elle.

— Je m'inquiétais au sujet du scandale qui entoure l'apparition du petit Jack et de la manière dont cela risquait d'atteindre Simon et ses affaires. Et maintenant, il y a *ça* ! Je ne sais vraiment pas quoi faire. Je ne veux pas entraîner Simon dans notre chute.

— C'est ton mari, Megan.

— Je sais.

Ça ne pouvait pas marcher. Elle ne pouvait décemment pas demander à Trace, sans tout lui expliquer sur l'histoire tordue de leur mariage, si elle devait rester avec Simon ou le quitter ! Elle n'y était pas préparée non plus, aussi changea-t-elle de sujet.

— Il y a autre chose. Je m'inquiète aussi pour Paige. Elle fait toujours confiance à père et, maintenant, avec cette histoire… elle va recevoir un choc très dur.

L'expression de Trace se ferma et l'ancien chagrin miroita au fond de ses yeux.

— Il faudra qu'elle le découvre, Megan. Elle devra le constater par elle-même. Comme nous l'avons fait nous-mêmes. Comme je l'ai fait aussi.

— Trace ?

Il secoua la tête.

— Disons seulement que j'ai eu l'occasion d'apprendre à mes dépens jusqu'où notre père était capable d'aller. C'était il y a cinq ans.

— Cinq ans ? demanda-t-elle, surprise. Que s'est-il passé ?

Megan faisait encore ses études, alors. Qu'avait-il bien pu se passer qu'elle ignorait encore ? Son frère prit un air fermé et, d'une voix sombre, il déclara :

— Je ne vais pas y revenir, Megan. C'est terminé. Mais ce que je peux te dire, c'est que Spencer Ashton m'a eu. Cela m'a coûté la seule femme que j'aie jamais aimée.

— Oh, Trace, dit Megan d'une voix douce en lui caressant doucement la joue.

Elle avait mal pour lui, et elle aurait aimé faire ou dire quelque chose pour l'aider. Mais, à en juger par le chagrin sombre et dur qu'elle lisait dans son regard, ce n'était pas possible.

Trace soupira puis lui adressa un demi-sourire.

— J'ignore ce qu'il se passe entre toi et ton mari, Meg. Le seul conseil que je puisse te donner, c'est de te fier à toi-même. Si tu dois choisir entre ta famille et ton cœur, alors choisis ton cœur.

Des mots qui résonnaient avec simplicité. Maintenant, se dit Megan, tout ce qu'il lui restait à faire était de réfléchir au choix quelle devait accomplir. Une envie de hurler la prit. S'ils en étaient tous là, songea-t-elle avec un sentiment de rage, c'était à cause de l'avidité et de l'ambition aveugle de son père ! Et maintenant, cela risquait de lui coûter l'avenir qu'elle aurait pu partager avec Simon.

*
**

— Madame Pearce, un commentaire pour nos lecteurs !

— Par ici, mon chou, souriez à la caméra !

— Hé ! Qu'est-ce que ça vous fait de savoir que votre père a fait de vous une bâtarde ?

Megan serra les dents et garda l'œil fixé droit devant elle. Elle s'était imaginé qu'une fois qu'elle aurait laissé la *Villa Ashton* derrière elle, elle serait débarrassée de la presse. Mais non. Il y avait au moins une douzaine de reporters avec voitures et caméras, installés au bout de chemin qui menait à la maison de Simon. Ils allaient le détruire, songea Megan. Détruire un homme qui avait commis l'erreur d'épouser une Ashton.

« Ne regarde pas ! s'ordonna-t-elle. Ne leur donne pas la satisfaction de te voir pleurer. De te voir frapper sur ton volant, en pleine crise de rage et de frustration. »

— Hé ! Qu'est-ce que le jeune marié pense de son cher vieux beau-papa ? railla un autre reporter, penché pour regarder par la vitre, à l'intérieur de la voiture.

Megan freina sèchement et pila. Tournant vivement la tête sur sa gauche, elle foudroya du regard le reporter braillard, grossier et odieux.

— Laissez mon époux en dehors de cela, dit-elle d'un ton coupant.

L'homme, un petit courtaud aux yeux curieux et au sourire visqueux, secoua la tête.

— Impossible, chérie. Simon Pearce est aussi quelqu'un de connu, un *people*. Alors quand il est mêlé aux ennuis de la famille Ashton, et bien, ça en fait vendre des journaux !

Les caméras, les micros se pressaient autour de Megan, les reporters et les équipes de la télévision se bousculaient pour avoir la meilleure place. Alors, à cette minute précise, Megan eut l'impression que la terre sous elle se mettait à trembler.

Simon…un *people* !

Effondrée, elle repassa dans sa tête les paroles du reporter.

— Alors, demanda encore l'homme, prenant son silence stupéfait pour une décision de parler à la presse, et Simon ? Qu'est-ce que *Monsieur-lave-plus-blanc* peut nous déclarer sur les ennuis de la famille ?

Megan inspira très longuement et se dit qu'elle allait envoyer tous ces gens au diable, avant d'imaginer ce que donnerait cette petite confrontation à la une des journaux ou au journal télévisé. D'un seul coup, elle changea d'idée.

— Pas de commentaire, lança-t-elle, avant de remettre brutalement sa voiture en marche.

Cela lui fit du bien de voir tous ces gens faire un bond en arrière pour éviter ses roues. Mais cet éclair de satisfaction dura à peine une seconde avant que la pesante réalité s'installe de nouveau au creux de son estomac. Avant de comprendre qu'elle n'allait nulle part.

Il était temps maintenant de faire le choix que Trace et elle avaient évoqué.

Simon ne rentra pas chez lui avant 10 heures du soir. Il éprouvait le sentiment d'avoir fait un match de dix rounds avec un champion poids lourds. Laissant tomber par terre son attaché-case, il ferma les yeux et s'adossa à la porte qu'il venait de refermer. Bon sang, songea-t-il, quelle journée infernale ! Un pur cauchemar. Des journalistes avaient tourné comme un essaim de guêpes autour de ses bureaux, dans l'espoir bien futile d'obtenir une interview exclusive. Les téléphones avaient sonné d'une manière démente, et Dave avait passé la plus grande partie de la journée à calmer les clients de Pearce Industries et à repousser les gens qui lui demandaient de commenter le pétrin dans lequel Spencer Ashton venait de tomber. Sans parler de la meute de reporters entassée tout le long de son allée.

Simon aurait dû être furieux.

Sa société était en première ligne. Il était personnellement harcelé par la presse. Sa famille allait être entraînée dans ce qui risquait de devenir une affaire déplorable étalée à la une de tous les journaux du pays.

Et pourtant… la seule chose à laquelle il n'avait cessé de penser au long de la journée était la manière dont tout cela affectait Megan.

— Megan !

Sa voix parut résonner comme un écho dans le silence. Aucun signe de présence dans la grande maison. On aurait pu croire que Megan et les employés s'étaient tous volatilisés. A cette pensée, le visage de Simon s'assombrit et il traversa le hall à grands pas vers l'escalier et la chambre à l'étage au-dessus.

Il imagina Megan toute seule en train de pleurer et jura tout bas. Une envie le prit d'aller trouver Spencer Ashton et de lui dire quel sale type il était de faire ainsi souffrir sa fille. Il voulait débusquer les démons qui hantaient Megan, et les massacrer. Il voulait… en réalité, il savait très bien ce qu'il voulait, s'avoua-t-il. Il mourait surtout d'envie de l'aimer et qu'elle l'aime aussi.

Il n'aurait jamais dû échafauder ce projet absurde de faire en sorte qu'elle parle la première.

Qu'elle lui avoue la première son amour.

Il aurait dû lui dire, dès qu'il s'en était rendu compte, quel heureux veinard il était.

163

Lui dire, oui, combien il désirait que leur mariage soit un *vrai* mariage.

Le bruit de ses pas résonnait bruyamment dans le silence et Simon s'efforça de se débarrasser de la sensation d'abandon que lui inspirait l'atmosphère de la demeure. Il grimpa les marches quatre à quatre, gagna l'étage à toute vitesse et se précipita vers la chambre principale. Il ouvrit la porte d'une poussée et son cœur sombra dans sa poitrine.

Megan n'était pas là.

Simon se rua dans la salle de bains. Aucune trace, aucun signe de sa présence.

Son regard se posa sur les carreaux de faïence bleu-vert. Le vaste étalage de crèmes et de lotions, de brosses à cheveux et même sa brosse à dents, tout cela avait disparu. Simon crut que son cœur allait cesser de battre.

— Ça ne veut rien dire ! s'écria-t-il.

Rien du tout.

Elle ne pouvait pas être partie. Pas ainsi, sans un mot. Et surtout pas sans le lui signifier, sacré bon sang ! Mais l'angoisse le broyait, grignotait tous les recoins de son cœur, déchirait son âme de crainte tandis que, la gorge nouée, il rebroussait chemin le long du corridor.

— Voyons, réfléchit-il à voix haute. La maison est vaste. Elle pourrait être n'importe où. Megan ! appela-t-il encore.

Il dévala l'escalier aussi vite qu'il l'avait escaladé. Au rez-de-chaussée, il se sentit complètement perdu, incapable de retrouver ses esprits, incapable de réfléchir avec calme.

C'est alors qu'il l'aperçut.

Debout à côté de la porte d'entrée grande ouverte, elle le regardait, un monde de tristesse au fond des yeux, mais un air de détermination sur le visage.

— Megan !

Simon se précipita vers elle, mais elle fit un pas en arrière et secoua la tête.

— Non, Simon. Ne rends pas les choses plus difficiles. Pour toi comme pour moi.

Plus dures ? Qu'est-ce qui pouvait être plus dur que cette sensation de désespoir infini qu'il avait éprouvée en ne la trouvant pas ?

— De quoi parles-tu donc ?

Etait-ce son sang qui ruait ainsi dans ses veines ? La vision de Simon s'obscurcit et ce fut comme si un orage se déchaînait dans sa tête.

— Je m'en vais, annonça Megan.

— Où vas-tu ?

Trois petits mots. Les trois seuls qu'il fut capable de prononcer.

— Aucune importance, répondit Megan.

Elle déglutit à grand-peine, et ses grands yeux verts s'emplirent de larmes qu'elle tenta frénétiquement de refouler.

— Je suis désolée. Désolée pour tout ceci. Pour tout le gâchis provoqué par mon père et pour toi, pris dans cet engrenage. Je suis vraiment désolée.

Incapable de se faire à l'idée de ne plus la revoir, de ne plus la toucher, de ne plus la sentir près de lui, Simon fit un pas vers elle, mais Megan recula d'autant et se retrouva sous le porche avec la nuit derrière elle. Prudent, Simon ne tenta plus de se rapprocher d'elle.

— Tu n'as aucune raison d'être désolée, dit-il alors.

Un rire s'échappa des lèvres de Megan. Plein de regret et de tristesse.

— Je suis une Ashton, lui rappela-t-elle d'un ton chargé d'amertume. Il me semble que c'est une raison bien suffisante.

— Cette histoire ne te concerne pas, Megan, dit Simon.

Il souhaita de toutes ses forces qu'elle rentre à l'intérieur de la maison, car ainsi, ils pourraient discuter.

De nouveau, elle secoua la tête et releva le menton d'un air de défi qu'il reconnut.

— J'ai déjà fait mes bagages.

Une fois de plus, la peur envahit Simon. Cette fois, ses genoux faiblirent.

— Tes bagages ? Pourquoi ?

— Je pars, Simon. Il le faut. Tu as vu les reporters dehors ?

Comme il ouvrait la bouche pour argumenter, elle l'interrompit.

— Ils ne s'en iront pas de sitôt. Le problème avec mon père ne va faire qu'empirer, et je ne veux pas entraîner ta famille dans la chute de la mienne. Il n'en est pas question, Simon.

— Tu ne crois pas que tu devrais me laisser en décider ?

— Non. La décision est prise. Nous avions passé un accord quand nous nous sommes mariés. Pas de scandale, tu te souviens ?

Elle lui décocha un autre sourire et un violent chagrin déchira Simon qui lut un au revoir au fond de ses yeux.

— Megan, non !

— Je signerai les papiers de divorce dès qu'ils seront prêts.

Elle sembla hésiter un instant, puis lui dit d'une voix où perçait une infinie tristesse :

— Au revoir, Simon.

Elle se détourna et commença à s'éloigner. Simon resta cloué sur place. Il voulut courir derrière elle et la ramener, puis la serrer avec tant de force qu'elle serait incapable de le quitter encore une fois. Mais il avait l'impression d'être transformé en statue de pierre. Il était dans l'impossibilité de faire revenir la force dans ses membres. Il resta donc là, tel un homme coupé en deux et qui ne sait pas de quel côté il va s'effondrer.

La nuit engloutit Megan et il resta seul dans la grande maison où elle avait partout imprimé sa marque.

Le plan avait échoué. Elle ne lui avait pas dit la première qu'elle l'aimait, et elle était partie sans savoir à quel point lui l'aimait.

Sans savoir que son départ le tuait.

167

12.

Se réfugier à la *Villa Ashton* n'était sans doute pas l'idée la plus brillante qu'ait eue Megan. C'était tout aussi efficace que d'essayer d'échapper à des requins en plongeant dans la grande Barrière de Corail. Car la propriété ressemblait à une sorte de château médiéval en état de siège. Personne, en dehors de la famille, n'était autorisé à y pénétrer, et toutes les réceptions et autres visites avaient été annulées. Les reporters s'agglutinaient toujours à l'extérieur des grilles. Des gardes fraîchement embauchés les maintenaient à distance, ce qui ne signifiait pas qu'ils ne tentaient pas d'obtenir une interview, une photo, ou un commentaire de toute personne qui entrait ou sortait par l'entrée principale.

Après avoir quitté Simon deux jours auparavant, Megan était revenue chez elle, car elle avait été incapable d'imaginer un autre refuge. C'était pitoyable, songeait-elle, quand le seul lieu où elle avait envie de se trouver était avec Simon. Alors, puisque c'était impossible, quelle importance l'endroit où elle allait ?

Au moins ici, dans la propriété, elle était assez protégée pour ne pas se retrouver aux prises avec les médias. Charlotte l'avait accueillie dans son cottage, car Megan ne pouvait supporter l'idée de réintégrer son ancienne chambre dans la maison familiale. A la seule pensée de revoir ses parents en ce moment, elle était parcourue de frissons glacés.

Maintenant, tout ce qui lui restait à faire était de s'occuper frénétiquement jusqu'au moment où elle ne penserait plus à Simon. Cela ne prendrait sans doute pas plus de vingt ou trente ans… Oh, Seigneur ! Comment allait-elle faire pour tenir le coup ? se demanda-t-elle avec angoisse.

De rage et de douleur, elle donna un coup de poing dans l'un des fauteuils douillets et bien rembourrés du living-room.

— Pourquoi ne viendrais-tu pas m'aider dans la serre ?

Charlotte, qui venait d'entrer dans la pièce, se planta devant elle.

— Il faut que tu te changes les idées.

Megan poussa un soupir et tapota un coussin.

— Merci, mais nous savons toutes les deux que ma présence indispose Mère Nature. Au bout de dix minutes, tu pourrais entendre tes plantes appeler à l'aide. Je ne ferais que te causer des ennuis.

Charlotte sourit.

— Je prends le risque !

— Crois bien que cela me touche, dit Megan en levant les yeux vers sa cousine.

Son expression était sereine mais ses yeux sombres brillaient d'inquiétude, et Megan apprécia à sa juste valeur le souci muet de sa cousine.

— Mais je suis une compagne vraiment infecte, Charlotte. Je vais sans doute aller faire un tour ou quelque chose comme ça.

Sa cousine haussa les épaules et lui adressa un demi-sourire.

— Tu pourrais peut-être, suggéra-t-elle, pendre ta voiture et retourner chez toi ? Chez ton mari…

Le cœur de Megan se serra et la douleur se répercuta dans tout son être, telle la foudre qui s'abat.

— Je ne peux pas. Je ne peux pas l'entraîner avec moi dans toute cette boue !

Charlotte l'examina un long moment avant de demander :

— Qu'est-ce qui peut bien te faire penser ça ? Tu devrais peut-être lui laisser le choix ? Qu'il puisse décider par lui-même.

— Supposons que je l'aie fait, répliqua Megan. Supposons qu'il ait décidé de rester avec moi et que sa famille soit fâchée de tout ce qui se passe dans la mienne. Alors quoi ? Combien de temps s'écoulera-t-il avant qu'il ne m'en veuille ? Combien de temps pourra-t-il supporter ma vue ?

Elle secoua la tête.

— Non, merci. J'ai choisi la meilleure voie. La plus rapide.

Megan frictionna le point qui lui faisait mal au centre de la poitrine, mais rien n'y fit. Rien ne pourrait l'aider. Jamais plus. Ainsi s'écoulerait le restant de ses jours. A souffrir. Alors, autant s'y habituer tout de suite, se dit-elle avec amertume.

Elle se leva, et prit sa cousine dans ses bras, avant de faire un pas en arrière.

— Charlotte, je te suis très reconnaissante de ce que tu essayes de faire pour moi, vraiment. Mais...

— Mais ce ne sont pas mes affaires, c'est ça ? conclut sa cousine avec un sourire.

Megan fit un effort pour le lui retourner.

— C'est dit gentiment, mais... oui.

— Comme tu voudras, admit sa cousine.

Elle se dirigea vers la porte du fond pour aller retrouver la serre. Mais avant de disparaître, elle se retourna et lança à Megan :

— Rappelle-toi quand même que si tu changes d'avis, tu pourras venir me parler. Je suis là.

Restée seule, Megan sortit par la porte principale du cottage pour se retrouver dans la splendeur du soleil, qui éclaboussait de lumière les dalles du sentier et filtrait au travers du feuillage protecteur des arbres tout proches. Elle s'engagea dans le chemin, puis bifurqua vers la pelouse d'un vert luxuriant, le regard perdu à l'horizon. En face d'elle, s'étirait un moutonnement de collines d'un vert velouté. Les parterres de fleurs étaient un festival de couleur, pourpre, jaune, rouge sombre, et leurs parfums mêlés embaumaient l'air. Pourtant, malgré la splendeur de ce qui l'entourait, Megan éprouvait le sentiment d'être enfermée dans une pièce obscure. Pire encore, tout au fond d'elle-même, elle savait qu'il n'y avait pas d'issue pour elle. Elle était dans une situation de total blocage. Elle avait tout perdu.

Au cours des dernières quarante-huit heures, Simon avait tenté de trouver un moyen de s'introduire dans la propriété des Ashton. Mais c'était comme d'essayer de pénétrer dans la réserve d'or fédérale. La sécurité à l'extérieur ne laissait passer personne. Chaque fois qu'il se hasardait à téléphoner, on lui disait poliment mais fermement que la famille Ashton ne prenait aucun appel pour le moment.

— Même pas ceux des maris ? grommela-t-il, l'œil fixé sur le plus costaud des gardes, planté devant la voiture de Simon comme un pylône de béton affublé de lunettes de soleil.

Les poings crispés sur son volant, il s'efforça de garder son calme. Ce n'était guère facile quand la seule chose qu'il avait envie de faire était de forcer son chemin à travers les gardes, foncer à l'intérieur de la propriété et tout y mettre sens dessus dessous s'il le fallait pour retrouver Megan.

Megan…

Il se passa une main sur le visage et sentit contre sa paume des petits poils de barbe le piquer. Et voilà qu'il sortait sans même s'être rasé ! Il n'avait pas été capable de penser à quoi que ce soit d'autre qu'à son épouse, depuis l'instant où elle avait quitté sa maison, deux jours auparavant. Il se reprocha de ne pas s'être lancé à sa poursuite. Mais quand il avait enfin été capable de persuader son corps presque paralysé de se mettre en mouvement, elle avait déjà disparu dans la nuit, et il avait laissé passer l'occasion. Raté la chance de lui dire qu'il l'aimait, qu'il avait besoin d'elle, qu'il ne voulait pas vivre sans elle et qu'elle devrait simplement apprendre à vivre avec ça.

— Quel imbécile ! se dit-il, dégoûté. Quel plus sûr moyen pour gagner le cœur d'une femme que de commencer par lui dicter ce qu'elle doit faire !

Il était dans un état pitoyable, mais cela aurait été encore pire s'il n'avait reçu un coup de téléphone de Charlotte, une heure plus tôt. La cousine de Megan s'était contentée de lui poser une seule question : « L'aimez-vous ? » Dès qu'il l'en avait convaincue, Charlotte l'avait invité au domaine et certifié qu'elle lui ferait franchir le barrage des gardes. Tout ce qui lui restait à faire désormais était de se montrer patient. Pourtant, ce n'était pas si simple. Pas quand l'issue se rapprochait.

Enfin, l'un des gardes fit un signe de tête à Simon, ouvrit la grille et laissa passer la voiture. Il suivit l'allée et se dirigea vers le petit cottage de pierre décrit par Charlotte. L'attente le ravageait.

Qu'arriverait-il si Megan ne voulait pas l'écouter ?

De toutes ses forces, Simon en repoussa l'idée. Elle devait l'écouter.

Il *fallait* qu'elle le croie.

*
* *

Le dos appuyé contre la surface rugueuse d'un tronc d'arbre, Megan avait les yeux fixés sur les vignes qui s'étendaient très loin vers l'horizon. Elle arracha une herbe sous la couverture où elle était installée, et la déchiqueta avec méthode en laissant errer son esprit. Elle ferma les yeux. Naturellement, la première image qui lui vint à l'esprit fut celle de Simon. C'était comme si elle pouvait sentir son parfum flotter autour d'elle et faire concurrence à la vigoureuse odeur terrienne du jardin. Aussitôt, tout en elle se languit de lui. L'envie de se jeter dans ses bras et d'être serrée contre lui s'empara d'elle tout entière. Comment, mais comment supporter son absence ?

— Eh bien, on peut dire que tu es une femme difficile à approcher !

Megan ouvrit les yeux et jeta un coup d'œil incrédule par-dessus son épaule.

Simon... ici ? Et à l'évidence, guère heureux d'y être. Son expression était plutôt morose et une barbe de trois jours assombrissait son visage. Il portait un jean, un pull blanc froissé et des baskets. Comme il s'approchait, Megan distingua quelque chose de sombre et de dangereux qui passait soudain dans ses yeux. Elle se releva d'un bond, décidée à mener la confrontation d'égale à égal.

— Nous n'avons rien à nous dire, observa-t-elle d'une voix douce, pendant que son regard se repaissait de lui.

Cela faisait-il seulement deux jours ? se demanda-t-elle. Elle avait l'impression qu'il s'agissait de semaines ou de mois depuis la dernière fois où elle l'avait vu... touché.

— C'est ce que tu crois, dit-il.

— Simon...

— Tu as eu ton tour, Megan, déclara-t-il, en s'arrêtant à moins d'un mètre d'elle.

Si proche et pourtant si lointain.

173

Le cœur de Megan se serra douloureusement et ses doigts la démangèrent de caresser la mâchoire râpeuse. Il paraissait aussi frustré et épuisé qu'elle-même.

— Simon…

— Non, non, c'est mon tour.

Il avait le poing serré sur un journal.

— Il y a deux nuits, reprit-il, tu ne m'as pas laissé parler. Tu m'as imposé ta règle et tu es partie.

— Cela devait se passer ainsi, argumenta-t-elle, pendant que les premières larmes commençaient à lui picoter les yeux.

Pourtant, elle refusa de les laisser couler. Elle avait assez pleuré au cours des deux derniers jours. Il n'était pas question de recommencer devant Simon. Un peu de dignité quand même, se dit-elle.

— Selon *ta* volonté.

— Selon notre accord, lui rappela-t-elle. Tu te souviens ? La clause « pas de scandale » ?

Elle laissa échapper un rire rauque qui lui écorcha la gorge et lui serra le cœur.

— Eh bien, regarde autour de toi, Simon. C'est le scandale intégral.

— Tu crois que je m'en soucie ?

Simon se rapprocha encore. Il n'était plus maintenant qu'à un souffle d'elle. Il n'avait pensé à rien d'autre qu'à lui parler durant ces deux jours. Maintenant qu'il était ici, qu'elle était juste en face de lui, à lui parler de faire ce qui était bien et de scandales, il n'éprouvait qu'une envie : l'empoigner et la secouer. Avant de l'embrasser à en perdre les sens.

— Penses-tu vraiment que j'accorde la moindre importance à ce qui arrive à ta famille en ce moment ?

Megan aspira une bouffée d'air et rejeta la tête en arrière.

— Non, reprit-il, ce n'est pas vrai. Bien sûr que je m'en soucie. Mais seulement dans la mesure où cela te concerne. Je ne veux pas que tu en sois blessée, Megan.

— Alors, tu ferais mieux de t'en aller maintenant, murmura-t-elle.

Simon perçut la faille dans sa voix, et un besoin de la protéger le submergea tout entier. Il ne voulait pas la voir souffrir, et pourtant, songea-t-il, lui-même se débrouillait assez bien en ce sens. Il aspira une longue bouffée d'air et la rejeta rapidement de ses poumons.

— Je suis un peu idiot aujourd'hui, admit-il.

— Je vois ça.

Les lèvres de Simon s'étirèrent bizarrement.

— Quand tu es partie, Megan…

— Il le fallait.

— Ça m'a presque tué.

— Oh, Simon !

— Je ne peux pas te perdre, Megan.

Il se frotta la nuque à s'en faire mal.

— Je ne *veux* pas te perdre.

Il lui tendit le journal.

— Lis ça. Ensuite, nous parlerons.

Sous l'œil attentif de Simon, Megan baissa les yeux sur les gros titres du *Times*. Simon put ainsi détecter chacune des émotions qui s'imprimaient sur son visage. Il put lire sur ses traits d'abord l'émerveillement, puis la surprise et enfin le plaisir et, à cet instant, il espéra avoir fait ce qu'il fallait.

— Je ne comprends pas, dit-elle tout bas, sans oser lever les yeux sur lui.

— Eh bien, lis à voix haute. Cela t'aidera peut-être.

Elle eut un petit hochement sec de la tête.

PIERCE DÉVOILE TOUT.

Dans une interview exclusive, Simon Pearce nous a déclaré que son épouse Megan Ashton Pierce est à ses yeux la personne la plus importante au monde. Il nous a assuré que sa femme et lui continueront à apporter leur soutien à la famille Ashton en ces moments difficiles.

— Est-ce assez clair ? demanda Simon.

Cette fois, sa voix était douce comme s'il essayait d'amadouer quelqu'un de particulièrement cher.

Megan, la respiration entrecoupée, leva les yeux vers lui. Ses beaux yeux verts étaient embués de larmes et un sourire tremblant s'esquissa sur ses lèvres.

Alors l'espoir renaquit dans le cœur de Simon.

— Oh, Simon, murmura Megan, je ne sais pas quoi dire.

De frustration, mais aussi d'inquiétude, Simon ne put se retenir d'éclater :

— Ne comprends-tu pas, Megan ? Je t'aime. J'aurais dû te l'avouer avant, mais je me suis conduit comme un imbécile. Je voulais que tu me le dises la première, pour ne pas perdre le contrôle de la situation.

Il eut un rire bref et dur.

— Quelle stupidité de ma part ! Parce qu'à la minute où je t'ai acceptée pour épouse, j'ai bel et bien perdu tout contrôle. Et aujourd'hui je me fiche de perdre mon contrôle. Tout ce que je désire, c'est toi.

— Moi aussi je t'aime, Simon. Mais je ne voulais pas te le dire à cause de notre accord sur ce mariage temporaire.

— Il n'y a rien de temporaire entre nous, Megan. Pas la moindre petite chose. Si je disposais d'encore cent ans pour t'aimer, ce ne serait encore pas suffisant.

Megan lui caressa la joue.

— Je suis partie seulement parce que je ne voulais pas que tu sois atteint par ce qu'il se passait dans ma famille.

176

Simon lui saisit la main, la retourna et planta un baiser au creux de sa paume.

— Mon amour, la seule façon de m'atteindre, c'est de me quitter.

— Dans ce cas, Simon, tu es destiné à une longue vie de bonheur, murmura Megan en se blottissant très fort entre ses bras. Parce que je peux te le dire, je n'irai plus nulle part sans toi.

Les bras de Simon l'encerclèrent et il la pressa contre lui.

— J'espère bien !

Elle se mit à rire et la douce musique de ce rire imprégna l'âme de Simon. Du fond du cœur, il adressa un rapide remerciement au destin, quel qu'il soit, qui lui avait accordé une seconde chance. Comment avait-il pu vivre sans Megan ?

Il redressa la tête en souriant et baissa les yeux vers elle.

— Tu sais, c'est une bonne chose que tu rentres à la maison avec moi.

— Vraiment ?

La tête penchée, elle demanda d'une voix taquine :

— Et pourquoi donc ?

— Parce que, madame Pearce, ne vous êtes-vous jamais arrêtée sur l'idée que vous pourriez être enceinte ?

Le sourire de Megan s'évanouit. Elle ouvrit de grands yeux et resta bouche bée.

— Oh, Ciel !!

Simon la sentit défaillir entre ses bras.

— Avec tout ce qui s'est passé au cours des dernières semaines, dit-elle enfin, comment peux-tu imaginer que j'aie pu y songer ?

Simon n'y avait pas plus songé qu'elle, du reste… Tout au moins pas jusqu'à cette nuit où elle l'avait laissé seul dans la trop vaste maison avec, pour toute compagnie, la pensée de ce qui aurait pu être. Alors, au cours de ces premières heures de solitude, il avait été forcé de reconnaître qu'après avoir perdu Megan, il avait aussi perdu tout espoir d'avenir. Celui d'une famille avec la seule femme qu'il ait jamais aimée. Maintenant, elle était revenue dans sa vie et dans son cœur, et il se jura en silence de ne plus jamais risquer de perdre ce qu'ils avaient découvert ensemble. Une vague d'amour pour Megan s'enfla en lui avec une force immense qui submergea jusqu'aux tréfonds de son âme.

Le regard de Simon se fixa sur les prunelles d'émeraude et il souhaita avoir une maison pleine d'enfants qui auraient tous ses yeux.

— Eh bien, dit-il, interrompant ses pensées pour déposer un baiser sur les lèvres de Megan, figure-toi que je n'ai pensé qu'à ça depuis ces deux derniers jours.

— Et ? demanda-t-elle, en l'observant de ses yeux pétillant de bonheur.

— Et, répéta-t-il, complètement chamboulé par la puissance de son amour pour elle, j'espère bien que tu l'es.

— Vraiment ?

— Vraiment, confessa Simon. Et si tu ne l'es pas, nous devrons nous y employer avec un peu plus d'énergie…

— Vaste programme, dit Megan, en secouant la tête d'un air solennel, malgré le sourire qui naissait sur ses lèvres.

Simon la souleva entre ses bras.

— Madame, dit-il, tout le monde vous le dira. Simon Pearce ne recule devant aucune tâche, si dure soit-elle !

Puis, il la fit tournoyer entre ses bras jusqu'à ce qu'ils s'écroulent tous deux par terre en riant.

Alors, allongés dans l'herbe fraîche et un peu humide, ils scellèrent la promesse du futur par un baiser passionné.

Extrait de : *Pour l'amour d'une Ashton*,
de Bronwyn Jameson

— Tu me connais assez peu, en fin de compte, répondit-il
en articulant longuement les mots qui allèrent ensuite se
perdre dans l'immensité du hall calme et sombre.

Il y eut un bref silence, alors qu'une sorte de connivence
et d'intimité paraissait s'installer entre eux.

— Tu as probablement raison, finit par dire Jillian. Tu me
connais mieux que je ne te connais, Seth.

— Tu crois que je te connais ?

Cette semaine il avait découvert mille et un visages à la
Jillian Ashton réservée et distante qu'il croyait connaître. Et
Seth appréciait sans réserves chacune de ces facettes.

— Tu en sais beaucoup plus sur moi que je ne le souhaite-
rais, dit-elle en levant le menton et en soutenant son regard.
Beaucoup plus que quiconque, excepté ma famille.

— Au sujet du passé, de Jason et de la façon dont il a gâché
votre mariage, tu as raison. Mais au sujet de la personne que
tu es réellement, je n'en sais pas tant que ça.

Elle secoua la tête d'un air catégorique.

— Tu sais à quel point j'ai été crédule pour ne jamais
me douter de quoi que ce soit. J'ai cru Jason lorsqu'il m'a
juré qu'il n'avait rien à voir avec cet investissement véreux
et qu'il s'était fait escroquer. Tu sais que j'ai continué à le
croire, même lorsqu'il a promis de me rendre mon argent et
d'arrêter de me mentir et de me tromper.

Oui, Seth savait tout cela. Mais il savait surtout que Jillian
s'était laissé berner par amour pour son mari. Il savait que
c'était une femme loyale, fidèle et dévouée qui avait soutenu
sans réserve son époux dans l'adversité.

— Tu as assumé ton rôle d'épouse jusqu'au bout, Jillian. Voilà pourquoi je n'ai pas à juger ton comportement d'alors.

Quelque chose changea dans l'expression de Jillian mais, dans la pénombre du soir, Seth ne parvenait pas à déchiffrer s'il s'agissait de résignation, de surprise ou de perplexité. Seth crut alors voir Jillian se raidir, et son cœur se serra.

— Je ne sais que répondre à cela, dit-elle calmement. Sinon te remercier de ne pas me juger, et de m'avoir aidée à tourner la page et à oublier mon passé.

— Il n'y a pas de quoi, se contenta-t-il de répondre.

— Et surtout, merci de m'aider à présent, ajouta-t-elle en soutenant son regard d'un air profondément sincère. Ces travaux sont très importants pour moi et, en acceptant ce chantier, tu me rends un immense service.

Une fois encore, ce regard franc et assuré le fit frissonner.

Ce n'était pas la première fois qu'elle le remerciait ainsi.

— Pourquoi ce projet est-il si important à tes yeux ?

— Mon travail ici est toute ma vie. C'est aussi une source de bonheur intense, répondit-elle avec une grande sincérité.

Après l'avoir vue à l'œuvre l'autre jour dans la salle de dégustation, Seth savait qu'elle disait vrai. Sauf que durant la réunion qu'ils venaient d'avoir, il l'avait beaucoup observée face à ses frères et sœur, et avait eu le sentiment que Jillian investissait quelque chose de personnel dans ces travaux.

— Qu'essaies-tu de prouver, Jillian ? demanda-t-il en la scrutant attentivement, persuadé d'avoir deviné.

Pas besoin d'être psychologue pour comprendre ce qui la motivait vraiment dans ce projet. Un silence pesant s'installa entre eux, jusqu'à ne plus laisser entendre que le tic-tac de l'horloge derrière lui.

Elle finit par soupirer et leva légèrement les mains en signe d'abnégation.

— J'ai un certain nombre d'erreurs à rattraper, Seth, et en effet beaucoup de choses à prouver. Notamment par rapport à l'époque où j'ai claqué la porte de Louret, estimant que ma famille ne saluait pas assez mes qualités professionnelles.

— Lorsque tu es partie travailler à Sonoma ?

— En effet.

C'est là qu'elle avait rencontré Jason, le petit frère de Seth, l'enfant gâté de la famille, le commercial beau-parleur qui avait été séduit plus par le carnet d'adresses et le nom de Jillian que par la femme qu'elle était.

— Ma famille s'y était opposée, mais je me croyais plus maligne qu'eux, continua Jillian. Je voulais montrer que j'étais une adulte, capable de faire ses propres choix.

— Et aujourd'hui, que cherches-tu ? Imprimer ta griffe à Louret pour prouver ta valeur professionnelle ?

— Pas vraiment. J'ai simplement besoin de faire quelque chose de constructif. D'abord pour moi-même, et aussi sans doute pour tourner définitivement la page sur le passé.

— Constructif, comme par exemple faire tomber de vieux murs pour reconstruire par-dessus ?

Jillian sourit à moitié, semblant apprécier la justesse de sa métaphore, mais le regard toujours sérieux.

— Parfois, reprit-elle, lorsque les vieux murs tombent tout autour de soi, il faut avant tout du temps pour déblayer les gravats.

— Et parfois, on ne peut arriver à tout déblayer seul.

— Parfois, la seule personne disponib...

Jillian s'interrompit soudain et se mordit la lèvre.

— Continue, dit Seth, plus intrigué que jamais.

— Parfois la seule personne disponible pour aider à déblayer les gravats en fait plus qu'il n'en faut. Et se retrouve à dégager bien plus que de la poussière...

— Je ne te comprends pas, Jillian, rétorqua-t-il un peu brusquement. Il y a quelques minutes, tu me remerciais de t'avoir permis d'y voir clair dans les combines de Jason !

— Oui, et j'étais sincère. C'est juste que tu as peut-être été *trop* efficace. Tu as fait tout cela avec tellement d'aisance que j'ai fini par me sentir... insignifiante et inutile.

Il se sentit tout à coup impuissant. Tout ce qu'il avait fait, c'était prendre les choses en main afin d'éviter à Jillian de faire face à *toute* l'odieuse vérité — il n'avait fait que la protéger. Jamais il n'avait souhaité la dévaloriser ainsi.

— Et c'est toujours ce que tu ressens ? demanda-t-il en se passant une main nerveuse dans les cheveux.

— Non.

Il la dévisagea. Jillian semblait soudain regretter de s'être confiée. Seth avait du mal à croire ce « non » trop défensif.

Après quelques secondes, elle soupira, et parut se détendre un peu.

— Ecoute, je ne me sens ni insignifiante, ni inutile... C'est juste que ta présence me rend parfois... nerveuse.

— Est-ce parce que je suis le frère de Jason ?

— Oui. En partie.

— Et quelle est l'autre partie ? s'empressa-t-il de demander en sentant son corps se figer.

— C'est que... Tu es si sérieux, raisonnable. Et intense, dit-elle avant de froncer les sourcils comme si elle hésitait à ajouter autre chose. Quand tu me regardes, je n'ai aucun moyen de savoir ce que tu penses de moi.

Il tressaillit. Ainsi, elle n'avait aucune idée de ce qu'il éprouvait pour elle. Soudain, il brûla d'envie de lui expliquer comment elle avait l'art de faire bouillonner son sang au creux de ses veines, et de rendre chaque cellule de son corps folle de désir pour elle.

Sauf que, se rappela-t-il aussitôt, il venait juste de signer un contrat de travail avec Jillian et ses frères. Et qu'il s'était juré de ne pas mélanger vie professionnelle et vie privée.

Ne manquez pas le 1er avril
Pour l'amour d'une Ashton
de Bronwyn Jameson
le quatrième volume de la Dynastie des Ashton.

Vous pouvez le recevoir directement chez vous en nous appelant au 01.45.82.47.47 ou en nous retournant le bulletin-réponse que vous trouverez ci-contre.

Le nouveau visage de la collection Or

◆

AMOURS D'AUJOURD'HUI

Afin de mieux exprimer sa modernité et de vous séduire encore davantage, votre collection Or a changé de couverture et de nom depuis le 1er mars 1995.

Rassurez-vous, les romans, eux, ne changent pas, et vous pourrez retrouver dans la collection **Amours d'Aujourd'hui** tous vos auteurs préférés.

Comme chaque mois, en effet, vous y attendent des héros d'aujourd'hui, aux prises avec des passions fortes et des situations difficiles...

**COLLECTION
AMOURS D'AUJOURD'HUI :**
Quand l'amour guérit des blessures de la vie...

Chère lectrice,

Vous nous êtes fidèle depuis longtemps?
Vous venez de faire notre connaissance?

C'est pour votre plaisir que nous avons
imaginé un rendez-vous chaque mois
avec vos auteurs préférés, vos
AUTEURS VEDETTE dans les
collections Azur et Horizon.

Les AUTEURS VEDETTE vous
donneront rendez-vous pour de
nouveaux livres vedette.

Pour les reconnaître, cherchez
l'étoile... Elle vous guidera!

Éditions Harlequin

HARLEQUIN

LE FORUM DES LECTEURS ET LECTRICES

CHERS(ES) LECTEURS ET LECTRICES,

VOUS NOUS ETES FIDÈLES DEPUIS LONGTEMPS?

VOUS VENEZ DE FAIRE NOTRE CONNAISSANCE?

SI VOUS AVEZ DES COMMENTAIRES, DES CRITIQUES À
FORMULER, DES SUGGESTIONS À OFFRIR, N'HÉSITEZ
PAS… ÉCRIVEZ-NOUS À:
      LES ENTERPRISES HARLEQUIN LTÉE.
      498 RUE ODILE
      FABREVILLE, LAVAL, QUÉBEC.
      H7R 5X1

C'EST AVEC VOS PRÉCIEUX COMMENTAIRES QUE NOUS
ALLONS POUVOIR MIEUX VOUS SERVIR.

DE PLUS, SI VOUS DÉSIREZ RECEVOIR UNE OU
PLUSIEURS DE VOS SÉRIES HARLEQUIN PRÉFÉRÉE(S)
À VOTRE DOMICILE, NE TARDEZ PAS À CONTACTER LE
SERVICE D'ABONNEMENT; EN APPELANT AU
(514) 875-4444 (RÉGION DE MONTRÉAL) OU 1-800-667-4444
(EXTÉRIEUR DE MONTRÉAL) OU TÉLÉCOPIEUR
(514) 523-4444 OU COURRIER ELECTRONIQUE:
AQCOURRIER@ABONNEMENT.QC.CA OU EN ÉCRIVANT À:
      ABONNEMENT QUÉBEC
      525 RUE LOUIS-PASTEUR
      BOUCHERVILLE, QUÉBEC
      J4B 8E7

MERCI, À L'AVANCE, DE VOTRE COOPÉRATION.

BONNE LECTURE.

HARLEQUIN.

VOTRE PASSEPORT POUR LE MONDE DE L'AMOUR.

COLLECTION
HORIZON

Des histoires d'amour romantiques qui vous mènent au bout du monde!

Découvrez la passion et les vives émotions qu'apportent à la Collection Horizon des auteurs de renommée internationale!

Captivantes, voire irrésistibles, ces histoires d'amour vous iront assurément droit au coeur.

Surveillez nos trois nouveaux titres chaque mois!

GEN-H-R

La **COLLECTION AZUR**

Offre une lecture rapide et

- ☑ *stimulante*
- ☑ *poignante*
- ☑ *exotique*
- ☑ *contemporaine*
- ☑ *romantique*
- ☑ *passionnée*
- ☑ *sensationnelle!*

COLLECTION AZUR...des histoires d'amour traditionnelles qui vous mènent au bout monde! Cinq nouveaux titres chaque mois.

GEN-RP-R

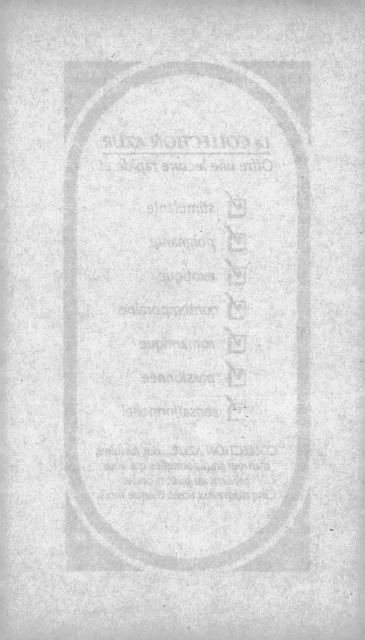

LA COLLECTION AZUR
Offre une lecture rapide et

☑ stimulante

☑ romanesque

☑ exotique

☑ contemporaine

☑ romantique

☑ passionnée

☑ sensationnelle

COLLECTION AZUR...des héroïnes
auxquelles vous
...dans un décor de rêve.

L'ASTROLOGIE EN DIRECT
TOUT AU LONG
DE L'ANNÉE.

(France métropolitaine uniquement)
Par téléphone 08.92.68.41.01
0,34 € la minute (Serveur JET MULTIMÉDIA).

Composé et édité par les
*éditions*Harlequin
Achevé d'imprimer en février 2006

BUSSIÈRE

GROUPE CPI

à Saint-Amand-Montrond (Cher)
Dépôt légal : mars 2006
N° d'imprimeur : 60071 — N° d'éditeur : 11953

Imprimé en France